D1152686

Edith Dietz

»...der Kreis schließt sich«

Doch 50 Jahre Frieden sind keine Garantie

dipa

Die Deutsche Bibliothek – CIP-Einheitsaufnahme

Dietz, Edith:
»... der Kreis schließt sich« : doch 50 Jahre Frieden
sind keine Garantie / Edith Dietz. – Frankfurt am Main :
dipa Verl., 1997
ISBN 3-7638-0394-7

© dipa-Verlag GmbH
Frankfurt am Main
Alle Rechte vorbehalten
Druck und Bindung: Elektra, Niedernhausen
Printed in Germany

ISBN 3-7638-0394-7

Inhalt

Vorwort

»Der Kreis schließt sich« – so lautet der Titel des dritten Teils der biographischen Skizzen von Frau Edith Dietz. Darin wird das Zeitgeschehen und das Leben der Autorin von 1945 bis heute eindrucksvoll geschildert, und viele werden sich beim Lesen in den Zeilen wiederfinden – jeder auf seine Weise: als Betroffener, als Handelnder oder als Zuschauer.

Sie knüpft mit diesem Buch nahtlos an ihre vorherigen biographischen Bücher »Den Nazis entronnen« und »Freiheit in Grenzen« an.

Edith Dietz, geboren 1921 in Bad Ems/Lahn, absolvierte von 1936 bis 1940 eine Ausbildung am Jüdischen Seminar für Kindergärtnerinnen in Berlin. 1940 bis 1942 war sie in jüdischen Kindergärten und Horten tätig. Im August 1942 erfolgte zusammen mit ihrer Schwester die Flucht in die Schweiz. Nach dortiger Internierung kehrte sie 1946 nach Westdeutschland zurück.

Hinter diesen Daten verbirgt sich das Leben und Leiden einer jungen jüdischen Frau im nationalsozialistischen Deutschland.
Es ist beachtlich, wie aufgeschlossen und in den meisten Fällen wertungsfrei Frau Dietz die Jahre von 1946 bis heute im Nachkriegsdeutschland, insbesondere in Karlsruhe, beschreibt. Sie hat damit die Geschichte durch ihr persönliches Erleben für die Leserinnen und Leser zu einem wirklichen »Erlebnis« werden lassen.

Ich fühle mich geehrt, daß ich als Kind einer jüdischen Mutter und Mitglied einer Familie, die das Schicksal der Deportation und Ermordung durchlitten hat, gebeten wurde, das Vorwort zu diesem

Buch zu schreiben. Dafür bedanke ich mich bei Frau Dietz ganz besonders und würde mich freuen, wenn das Buch sehr viele Leserinnen und Leser fände, den »Erinnern heißt nicht vergessen!«

Günter Fischer, Mitglied des Landtags von Baden-Württemberg

Frieden in Zürich, 8. Mai 1945

Glockengeläute, Glockengeläute und dann eine Stimme im Radio – der Krieg in Europa ist zu Ende. Man konnte es kaum fassen. Es war Frieden! Ich hörte mir kurz den Sprecher an, dann öffnete ich das Fenster. Auch in Zürich läuteten die Glocken. Überall läuteten die Glocken. Es war unfaßbar, sechs Jahre Krieg – und jetzt war Frieden.

In der Stadt traf ich Bekannte, ebenfalls Flüchtlinge und Emigranten. Meinen Freund konnte ich nicht erreichen, er war in einem Internierungslager in der Nähe von Zürich. Obwohl wir alle damit gerechnet hatten, daß Deutschland den Krieg verlieren würde, hatte ich mir nie ernsthaft Gedanken über die Nachkriegszeit gemacht. Meine Schwester und ich hatten keine nahen Verwandten im Ausland. Nach Amerika wollte ich noch immer! Vorerst schob ich alle Zukunftsorgen beiseite und genoß den Augenblick, den Frieden in Europa.

Für mich änderte sich im Moment nicht viel. Ich arbeitete mit einer Schülerin aus unserem Schullager Hilfikon und einer ehemaligen Lehrerin in einer kleinen Werkstatt. Wir stellten aus Wachstuch, das von Schweizer Firmen zur Verfügung gestellt wurde, Tiere her, die als Spielzeug für Kleinkinder gedacht waren. Sie waren für Pakete bestimmt, die nach Deutschland geschickt wurden. Diese Pakete enthielten Lebensmittel und Kleidung. Es wurde die Frage diskutiert, wer diese Pakete in Deutschland erhalten sollte. Ein Schweizer Mitarbeiter war der Ansicht, daß alle Familien, die Kleinkinder hatten, zu berücksichtigen seien.

Ich dachte damals anders. Nach meiner Ansicht sollten jetzt die Benachteiligten bevorzugt werden: die politisch Verfolgten in Deutschland. Ich wußte, wie die betroffenen Familien unter der

»Sippenhaft« hatten leiden müssen, und setzte mich dafür ein, daß sie zuerst in den Genuß der Pakete kommen sollten. An Juden dachte ich nicht. Ich war überzeugt davon, daß es in Deutschland keine mehr gab. Die Schweizer waren nicht zu überzeugen. Man einigte sich schließlich darauf, auch nach politisch Verfolgten zu forschen. Wer diese Pakete damals in Deutschland bekam, war überglücklich. Sie enthielten Lebensmittel, von denen die deutsche Bevölkerung in der letzten Kriegszeit nur hatten träumen können.

Man hatte das Gefühl, daß das Leben sich plötzlich neu gestaltete. Die politischen Flüchtlinge und Emigranten hatten es sehr eilig, wieder in ihre Heimatländer zurückzukommen. Sie wollten dabeisein, wenn der Wiederaufbau beginnt und wollten in der ersten Stunde ein Mitspracherecht haben.

Die rassischen Flüchtlinge, besonders die jüdischen, fingen an, nach ihren Verwandten zu suchen. Nach denen, die zurückgeblieben waren in den besetzten Ländern, nach denen, die sich versteckt hatten, nach denen, die in den Deportationslagern, in den Vernichtungslagern waren. Viele, fast alle, hofften, daß doch noch jemand am Leben sein würde.

Andere wiederum, die Verwandte in Amerika, in Afrika oder in Palästina hatten, bemühten sich, neue Verbindungen aufzunehmen. Sie versuchten, Bürgschaften zu erhalten, um auswandern zu können.

Die Schweizer waren sehr interessiert daran, Flüchtlinge und Emigranten so schnell wie möglich loszuwerden, denn sie wollten die »Fremden« nicht in ihrem Land behalten. Sie fürchteten sich vor einer »Überfremdung«. Die Betroffenen waren froh, in der Schweiz Schutz gefunden zu haben. Sie hatten überlebt, nur das zählte. Es gab nur sehr wenige, die bleiben wollten.

Ich war bei Kriegsende noch nicht verheiratet und fing erst jetzt an, mir über die Zukunft Gedanken zu machen. Fest stand für mich, nach Deutschland wollte ich nicht mehr zurück. Ich hatte Angst vor den Trümmern, vor den zerbombten Städten, und ich hatte noch viel mehr Angst vor den Menschen, die ich dort vorfinden würde.

Mein späterer Mann Friedrich aber wollte unter allen Umständen in seine Heimat zurück. Er wollte beim Wiederaufbau helfen, er wollte die politischen Ideen, die er vorher vertreten hatte, jetzt durchzusetzen versuchen. Ich habe damals nicht erkannt, daß er mehr Politiker als Journalist war. Ich glaubte, er würde als Journalist in Deutschland arbeiten, und ich hatte die Hoffnung, daß er sich vielleicht in einem anderen Land niederlassen würde, um von dort seine Reportagen und Berichte zu machen. Jedenfalls konnte ich den Zeitpunkt der Ausreise immer wieder hinausschieben. Manchmal hatte ich sogar das Gefühl, ich könnte ihn soweit beeinflussen, daß er in der Schweiz bliebe. Er hätte eine Möglichkeit finden können, von dort seine journalistische Arbeit für Deutschland zu machen.

Trotzdem heirateten wir im Januar 1946. Die Ehe wurde vor dem Standesamt in Zürich geschlossen. Da beide Partner Flüchtlinge waren, gab es keine Schwierigkeiten. Wir bekamen von der deutschen Interessenvertretung in der Schweiz Ersatzpässe; Behörde: Eidg. politisches Departement, ausgestellt am 2. März 1946, gültig bis 4. März 1947.

Danach fing mein Mann immer intensiver an, sich mit Deutschland zu beschäftigen und seine Rückkehr vorzubereiten. Für mich war es furchtbar schwer, mich damit abzufinden. Doch ich dachte und hoffte, es sei vielleicht nur eine Übergangszeit, und willigte schließlich ein. Erleichtert wurde mir die Rückkehr dadurch, daß meine Schwester sich im letzten Moment entschloß, mit uns nach Deutschland zu gehen. Sie wollte nicht alleine in der Schweiz bleiben.

Unser Leben in der Schweiz veränderte sich. Viele Menschen reisten ab, es war so ähnlich wie in der Nazizeit. Ein Abschied, und man wußte nicht, ob man sich je wiedersehen würde. Aber es war natürlich ein Abschied mit Zukunft. In Deutschland war es damals ein Abschied ohne die Chance gewesen, sich jemals wiederzusehen. Es war ein Abschied, der ganz stark mit dem Tod verbunden war. Man wußte nie, ob derjenige, der ging, durchkam. Wenn man zurückblieb, war ein Überleben noch fraglicher.

Bevor wir nach Deutschland gingen, schrieb ich in großer Eile das

Manuskript zu meinem ersten Buch. An eine Veröffentlichung habe ich damals nicht gedacht. Ich wollte auch die Kleinigkeiten, all die kleinen Schikanen und Nebensächlichkeiten, die später kaum erwähnt wurden, festhalten, um sie nicht zu vergessen.

Mein Mann hatte die Verbindung zu seiner Mutter wiederherstellen können, die in Stuttgart gelebt hatte. Durch die Kriegsereignisse und die Bombardements war sie nach Oberndorf am Neckar evakuiert worden. Sie hatte inzwischen wieder geheiratet. Mein Mann beschloß, zuerst nach Oberndorf zu gehen, um sich von dort aus über die allgemeine Lage zu informieren.

Ende August 1946, genau vier Jahre nachdem ich mit meiner Schwester geflüchtet war, verließen wir die Schweiz wieder. Ich war sehr traurig, und ich hatte überhaupt kein gutes Gefühl dabei, nach Deutschland zurückzukehren. Ich ging sehr ungern, ich ging eigentlich mit Widerwillen und nur meinem Mann zuliebe, aber immer mit der Hoffnung, nicht für alle Zeiten dort bleiben zu müssen.

Oberndorf

Friedrichs Mutter und ihr Mann holten uns an der deutsch-schweizerischen Grenze mit einem Auto ab. Es war ein Kunststück, in dieser Zeit ein Auto zu ergattern, auch nur für eine einzige Fahrt. Der Motor dieses Fahrzeugs wurde mit einem Holzvergaser betrieben. Auf unserer Fahrt bekamen wir kaum Kriegsschäden zu sehen. Meine Schwiegermutter hatte bereits Zimmer für uns organisiert. Die Vermieter hatten sich sicher auch deshalb zur Vermietung bereit erklärt, weil sie als »Miete« Tauschobjekte wie Sacharin, Zigaretten, Seife, Kaffee, Tee, Schokolade und so weiter erwarteten.

Sehr bald bekamen wir sogar in Oberndorf eine Wohnung. Schon bevor wir die Wohnung bezogen hatten, begann mein Mann, sich zu langweilen. Ständig reiste er nach Karlsruhe, wo er sich bei einer ehemaligen Bekannten, deren Wohnung unversehrt geblieben war, ein Zimmer gemietet hatte.

Ich wußte nicht, was genau er in Karlsruhe machte, und dachte, er würde journalistisch arbeiten. Meiner Schwester und mir war es in Oberndorf auch schrecklich langweilig. Der Kontrast Zürich-Oberndorf hätte größer kaum sein können. In Zürich lebte man fast wieder wie vor dem Krieg, alles normalisierte sich dort sehr schnell. Und in Oberndorf herrschte wirkliche Nachkriegszeit, das ganze Leben war mit enormen Schwierigkeiten verbunden. Hatten wir das nötig?

Meine Schwester und ich sehnten uns nach der Schweiz. Wir hatten Ersatzpässe, wußten aber nicht, ob wir damit die Grenze wieder überschreiten durften. Die deutsche Staatsangehörigkeit wollte ich nicht zurückhaben. Zu dieser Zeit waren wir alle staatenlos. Zu den Oberndorfern fanden wir keinen Kontakt. Sie hatten andere Biographien und andere Probleme. Schließlich schrieb ich einen wütenden Brief an meinen Mann und drohte ihm, wieder in die Schweiz zu gehen. Nach diesem Brief kam er sofort nach Oberndorf und versprach, alle Hebel in Bewegung zu setzen, um in Karlsruhe eine Wohnung für uns zu finden. Es dauerte dann auch nicht mehr allzulang. Anfang 1947 übersiedelten wir nach Karlsruhe.

Schutt und Trümmer

Im September 1946, bevor wir umzogen, kam ich zum ersten Mal nach Karlsruhe. Mein Mann fuhr damals mit mir von Oberndorf dorthin, um mir seine Heimatstadt zu zeigen. Die Züge waren zu jeder Tageszeit überfüllt. Die Leute stürmten die Züge geradezu. Sie waren mit Rucksäcken und Tragtaschen ausgerüstet und gingen meistens auf »Hamsterfahrten«.

Karlsruhe: Zerstörte Stadt – Blick vom Rathaus, links Marktplatz, über die Dächer (Foto: Stadtarchiv Karlsruhe)

In Karlsruhe kamen wir gegen Abend an, und der erste Eindruck war schrecklich: Trümmer, Schutt, zerschossene Gebäude, Ruinen ohne Fenster und Türen und nirgends ein Verkehrsmittel. Es begegneten uns wenig Menschen. Alles war grau in grau, obwohl es ein schöner Herbsttag war. Wir mußten über Schutthaufen klettern. Manchmal kamen wir auch wieder durch fast unversehrte Straßen. Zum Glück kannte mein Mann sich als ehemaliger Karlsruher gut in der Stadt aus. Wir wollten in die Hübschstraße, wo seine Tante und sein Großvater noch lebten. Die Wohnung war kaum beschädigt. Wir konnten dort übernachten.

Schon damals zog es Friedrich nach Karlsruhe, nach Oberndorf kam er nur zu Besuch. Ich machte es umgekehrt. Aber ich war wütend. Schließlich hatte ich das Leben in Zürich nicht aufgegeben, um in einem Nest wie Oberndorf allein zu versauern. Mein Mann sah ein, daß er mich in Oberndorf nicht halten konnte. Das führte zu einem beschleunigten Umzug.

Besuch in Bad Ems

Unsere Familie hatte in Bad Ems ein Haus besessen, das wir zurückhaben wollten. Um dorthin zu gelangen benötigten wir einen »Laissez-passer«. Ich kannte in Rottweil einen französischen Offizier, der uns ein solches Dokument ausstellte.

Bei einer guten Bekannten, der ehemaligen Schulfreundin unserer Tante, die in Theresienstadt umgekommen war, und deren Tochter, Frau Nowack, konnten wir wohnen. Frau Nowacks Sohn, Willy Nowack, war nach dem Krieg kurze Zeit als Mitglied der DVP/FDP Finanzminister in der linksrheinischen französischen Besatzungszone.

Bei diesem ersten Aufenthalt in Bad Ems kamen wir nur mit ganz wenigen Leuten zusammen. Ich traf mich mit einer Schulfreundin, von der ich ganz genau wußte, daß sie nie mit den Nazis sympathisiert hatte. Wir kamen auch mit ehemaligen Angestellten unserer Eltern zusammen. Meine Schwester hatte eine Schulfreundin, die auch während der Nazizeit mit ihr. den Kontakt nicht abgebrochen hatte, was in einem kleinen Ort wie Bad Ems, wo einer auf den anderen aufpaßte, ein besonderes Risiko dargestellt hatte.

Es kamen Menschen auf uns zu, denen wir aus dem Weg gingen, meistens Mitläufer, aber wir konnten uns noch nicht zu einer Kontaktaufnahme überwinden, unsere Wunden waren noch zu frisch. Ich weiß, daß ich damit einem Ehepaar, Freunden unserer Familie, sehr weh getan habe. Später bereute ich das sehr, aber damals konnte ich mich nicht überwinden, ich übersah die ausgestreckte Hand. Das Ehepaar starb sehr bald danach, und mich belastet mein Verhalten heute noch. Der Mann war ein Studienfreund unseres Onkels, der zuletzt Direktor bei der AEG in Berlin war. Unser Onkel, Adolf Königsberger, hatte sich im Dezember 1938, kurz nach der Pogromnacht, in Bad Ems das Leben genommen. Kurz davor begegnete er seinem Freund Albert auf der Straße. Sie kamen sich entgegen, und Albert wechselte, ohne ihn zu beachten, die Straßenseite. Das muß ihm den Rest gegeben haben, obwohl er wußte, daß Albert das nicht aus Überzeugung tat. Albert lebte in Bad Ems und wußte, wie schnell man denunziert werden konnte. Onkel Adolf hielt sich zu dieser Zeit in Bad Ems auf, weil er krank war und sich von seiner Schwester pflegen lassen wollte.

Meine Schwester und ich gingen an unserem Haus vorbei, das nun einen anderen Besitzer hatte. Es war unversehrt. Wir sollten es nie zurückbekommen. Aber wir erfuhren, daß ein Teil unserer Möbel und Wertgegenstände sich in Wohnungen ehemaliger Nazis befand. Einer, der uns als Geschäftsmann von früher bekannt war, ein stadtbekannter Nazi, hatte unser Eßzimmer, den Salon und anderes weit unter Wert erwerben können.

Unsere Verwandten, die in dem Haus lebten, wurden nach Friedrichsegen geschickt. Die Juden aus der ganzen Umgebung wurden zusammengetrieben. Es gab dort ein Schieferwerk. Alle, die noch arbeitsfähig waren, mußten im Werk arbeiten. Unsere Verwandten, ein Onkel und zwei Tanten konnten nur das Allernötigste zur Ausstattung einer primitiven Behelfswohnung mitnehmen. Was sie vorher nicht verschenkt hatten, blieb zurück. Sie hatten kaum die Möglichkeit, ihr Eigentum zu verkaufen. Familie Nowack hatte für uns einige Gegenstände aufbewahrt, die mein Onkel, ein Bruder der Mutter, nachts unter Lebensgefahr für beide Seiten dorthin gebracht hatte. Später hatten französische Besatzungssoldaten davon noch das meiste geplündert.

Wir erfuhren nach und nach in Bad Ems, daß von den abtransportierten Juden und auch von unserer Familie außer Möbeln, auch Teppiche, Wertgegenstände wie Silber, Porzellan und so weiter bei ehemaligen Parteigenossen zu finden seien. Wir erhielten nur eine Adresse, und dort befanden sich tatsächlich die Möbel.

Der damalige Bürgermeister gab uns eine Bescheinigung. Es war eine Genehmigung, in dieser Wohnung nach unserem Eigentum zu suchen. Wir fanden die Möbel, und wir fanden auch Wertgegenstände, die uns gehört hatten. Eine Spedition war bereit, die Sachen abzuholen und sie auf unseren Wunsch in den Hausflur unseres ehemaligen Hauses zu stellen, bis sie nach Oberndorf transportiert werden konnten.

Man mußte damals alles organisieren, ein Transportunternehmen mußte erst Benzin für eine längere Fahrt beschaffen, und die Kosten konnten nicht nur mit Geld bestritten werden, da die Reichsmark ihren Wert verloren hatte. Meine Schwester und ich glaubten, eine gute Lösung gefunden zu haben, aber wir irrten. Als wir am nächsten Morgen nach unseren Möbeln sehen wollten, waren sie weg. Nun spielten wir ein bißchen Detektiv und fanden bald heraus, daß Z., der Nazi, gut mit einem Elsässer befreundet war. Dieser Elsässer war als Angehöriger des französischen Militärs in Bad Ems stationiert und unterstützte den ehemaligen Obernazi Z. Wir wollten uns nicht wieder unterdrücken lassen, es ging uns schon nicht mehr um die Möbel allein, wir wollten unser Recht. Und wir hatten die Bescheinigung des Bürgermeisters. Deshalb ließen wir die Möbel ein zweites Mal in den Hausflur bringen, es war kein weiter Weg. Aber auch diesmal holte Z. sie mit Hilfe seines Elsässers zurück. Nach dem dritten Versuch schalteten wir eine übergeordnete französische Stelle ein. Eine Spedition mußte die Möbel unterstellen und sie später nach Oberndorf befördern.

Diese Möbeltransaktion erregte in Bad Ems damals ziemlich viel Aufsehen. Wir wußten, daß auch andere Emser jüdischen Besitz in ihren Wohnungen hatten, aber wir stießen auf eine Mauer des Schweigens. Wir hatten das Gefühl, daß die Emser sich gegenseitig deckten. Plötzlich waren Nazis, Mitläufer und auch Gegner solidarisch. Wir erfuhren wenig, und die Leute, mit denen wir zusammenkamen, waren jetzt vorsichtig. Sie hatten wieder Angst. Wir gingen, und sie mußten weiterhin in Bad Ems leben.

Jahre später kam ich zufällig in eine Wohnung. Dort sah ich einen riesigen Spiegel aus der Schneiderei unseres Modegeschäftes. Ich habe nichts mehr gesagt, es war vorbei. Aber damals wäre es für uns noch nicht vorbei gewesen. Die Möbel waren für uns sehr nützlich, zuerst in Oberndorf und später in Karlsruhe.

Alle Juden, die 1941 aus Bad Ems und Umgebung nach Friedrichsegen geschafft worden waren, wurden von den Nazis im August 1942 nach Theresienstadt deportiert. Ein erschütternder Brief unserer Tante Fanny Königsberger, eine ältere Schwester unseres Vaters, berichtet darüber. Sie und auch die Geschwister unserer Mutter, Flora und Louis Jessel, sind in Theresienstadt umgekommen. Von den Bad Emser Juden kam niemand zurück.

Umzug nach Karlsruhe

In Karlruhe bekamen wir in einem sehr schönen Wohnviertel eine Dreizimmerwohnung. Mein Mann wurde als ehemaliger Karlsruher und politisch Verfolgter sicher bevorzugt behandelt. Ob meine rassische Verfolgung damals eine Rolle gespielt hat, weiß ich nicht. Der Hauseigentümer gehörte zu den wenigen, die in dieser Gegend ihr Haus behalten konnten. Fast alle umliegenden Häuser waren von amerikanischem Militär beschlagnahmt. Wir wurden bei ihm eingewiesen, worüber er sicher nicht begeistert war. Er hatte sämtliche Heizkörper aus seinem Haus herausreißen lassen, weil er dachte, daß die Amerikaner auf ein Haus ohne Zentralheizung verzichten würden. Damit hatte er recht. Wir mußten nun Öfen »organisieren« und alles andere, was damals zum Leben gehörte, auch.

In dieser Zeit bekamen politisch und auch rassisch Verfolgte Gutscheine für Möbel. Ein Möbelhaus Thome fertigte aus Holzresten sehr brauchbare und gutaussehende Möbel. Die Betten, Tische und Schränke, die in der ersten Nachkriegszeit dort hergestellt wurden, waren sehr solide. Wir benutzten sie viele Jahre.

In Karlsruhe hatten viele Menschen Probleme mit ihrer Wohnungseinrichtung. Manche hatten alles verloren und mußten auf Zuteilungen warten. Es lebten oft mehrere Familien in einer Wohnung, und das war sicher nicht einfach. Jeder war in erster Linie darum besorgt, Nahrungsmittel aufzutreiben.

In der Zeit vor der Währungsreform hatte die deutsche Bevölkerung zwar noch Geld, aber das Geld hatte keinen Wert mehr. In den Geschäften erhielt man nur Waren auf Marken. Auf dem Schwarzmarkt bekam man nichts dafür. Statt Geld gab es andere Tauschwerte. Zigaretten hatten ihren festen Wert, hauptsächlich amerikanische Zigaretten, Nylonstrümpfe, Schokolade, Kaffee, Tee, Kakao,

Fett und so weiter war auch über die Amerikaner zu bekommen. Die besten Möglichkeiten hatten junge Mädchen, die damals amerikanische Freunde hatten. Das war unmittelbar nach dem Krieg aber noch nicht erlaubt.

Ich mußte zuerst einmal damit fertig werden, in einer so zertrümmerten Stadt zu leben. Aber durch Initiative der damaligen Verantwortlichen, insbesondere des späteren Oberbürgermeisters Günter Klotz, wurden die Trümmer sehr schnell abgetragen, und es entwickelte sich schon vor der Währungsreform wieder aktives Leben in Karlsruhe.

Mein Mann kümmerte sich hauptsächlich um die politischen Veranstaltungen, zu denen ich ihn manchmal begleitete. Er hatte Deutschland schon 1936 verlassen müssen. Mehrmals hatten die Nazis ihn wegen seiner politischen Arbeit für die verbotene KPD verhaftet. Er war in den Konzentrationslagern Kislau und Heuberg gewesen. Da er damals sehr jung war, glaubten die Nazis, ihn umerziehen zu können. Dadurch kam er frei und konnte in die Schweiz fliehen. Sonst hätte er wahrscheinlich nicht überlebt.

Als wir nach Karlsruhe kamen, war Berthold Riedinger Bürgermeister. Anfang August 1945 hatte die Militärregierung Hermann Veit, SPD, zum Oberbürgermeister ernannt. Ihm zur Seite standen die Bürgermeister Fridolin Heurich, CDU, und Berthold Riedinger, KPD. Im September 1945 ernannte die amerikanische Militärregierung das Gemeindeparlament. Im Mai 1946 wurde der Gemeinderat erstmals demokratisch gewählt.

Mein Mann wollte Riedinger aufsuchen und nahm mich mit zum Rathaus, das damals in der Beiertheimer Allee war. Es war ein komisches Gefühl für mich, zu einer deutschen Behörde zu gehen und dort auch noch bevorzugt behandelt zu werden. Wir brauchten nicht wie viele andere auf dem Gang zu warten. Der Gemeindediener ließ uns sofort vor und brachte uns in Riedingers Zimmer. Das war ein Erlebnis für mich. Auf einer deutschen Behörde!

Zwischen den Parteien gab es damals noch nicht so große Differenzen. Alle hatten das Ziel, die Lage der Menschen zu verbessern und den Wiederaufbau zu unterstützen. Ich glaube, diese Zeit war produktiv und human und gab neue Hoffnung.

Leben in Karlsruhe

In Karlsruhe lernte ich eine Menge Leute kennen, auch ehemalige Kampfgefährten meines Mannes. Für mich war es schwer, Kontakte zu bekommen. Politisch war ich naiv und vollkommen ungebildet. Unter Kommunisten konnte ich mir nichts Konkretes vorstellen, und ich kannte auch die Geschichte der Kommunistischen Partei nicht. In Deutschland war Literatur darüber verbrannt worden, und auch in der Schweiz bekamen wir über Kommunismus nichts zu hören. Den Flüchtlingen in der Schweiz war jegliche politische Betätigung untersagt.

In Karlsruhe befand ich mich nun in einer Gesellschaft, die mir fremd war. Die Freunde meines Mannes nahmen mich infolgedessen auch nicht ernst. Einmal sagte mir eine Frau: »Na ja, jetzt ist es ja sehr leicht, zu dieser Partei und den Genossen zu gehören.« Sie könne sich leicht vorstellen, daß ich, wenn es wieder einmal hart auf hart ginge wie in der Nazizeit, unter gar keinen Umständen dabeibleiben würde. Ich würde bestimmt abspringen und nicht die Solidarität üben, wie sie sie von ihren Freunden und Bekannten gewohnt sei.

Diese Genossin hatte natürlich recht. Sie kämpfte für eine Sache, von der sie absolut überzeugt war. Sie kannte die theoretische Grundlage der Partei. Sie identifizierte sich damit. Ich war durch Zufall dazu gestoßen und konnte damals auch nicht einsehen, warum ich große Opfer bringen sollte. Ich gehörte nicht eigentlich dazu.

Mein Mann hatte nicht die Zeit, mir ein Basiswissen über die Kommunistischen Partei und deren Geschichte zu vermitteln. Er setzte einfach voraus, daß ich da schon hineinwachsen würde. Besprochen hat er mit mir die Tagespolitik. Mehr Zeit hatte er nicht. Er glaubte an meine Solidarität zu ihm, die ja auch existierte, und machte sich keine großen Gedanken über mein Innenleben in der Beziehung.

Da er sich fast ausschließlich um Politik, Wiederaufbau und andere kommunale Fragen kümmerte, blieb mir die Organisation des Haushalts vorbehalten. Das hieß, man mußte sich stundenlang anstellen. Vor der Währungsreform war man den ganzen Tag damit beschäftigt, die Sachen, die es auf Lebensmittelkarten gab, zu besorgen. Und dann sollte man auch noch eine einigermaßen eßbare Mahlzeit daraus machen. Das war etwas, was ich haßte. Ich mochte überhaupt keine Hausarbeiten, und kochen konnte ich auch nicht gut. Ich hatte es ja nie gelernt.

Wie einfach war das Leben dagegen in der Schweiz. Das hörte ich von Freunden, die noch dort waren.

Als wir im Frühjahr 1947 nach Karlsruhe zogen, gab es dort schon wieder eine Straßenbahn. Die Trümmer wurden sehr schnell beseitigt. In der Kaiserstraße, vor den ehemaligen großen Geschäften, waren Holzbuden als Verkaufsstände aufgestellt.

Damals wunderten wir uns darüber, daß in der ersten Nachkriegszeit dort Waren angeboten wurden. Manchmal sogar Töpfe und Kochlöffel, aber es war oft Glückssache, etwas Brauchbares zu ergattern. Vermutlich wurden dort auch Schwarzmarktgeschäfte angeknüpft. Sacharin war sehr gefragt. Zucker gab es sehr wenig, und die Karlsruher Hausfrauen wollten ihr Obst einkochen. Wir, meine Schwester und ich, haben auch manchmal kleine Tauschgeschäfte gemacht. Aber nicht oft, denn meine Schwester wohnte nicht in Karlsruhe. Sie war in Rottweil geblieben.

Mein Mann hat sich an derartigen Unternehmungen kaum beteiligt. Für ihn zählte nur die Politik. In der Zwischenzeit war er Sekretär der Kommunistischen Partei geworden. Sein Vorgänger, Adolf Betz, hatte die Leitung von Frauenalb übernommen. Dort war mit Hilfe der Centrale Sanitaire Suisse ein Sanatorium eröffnet worden. In der Anfangszeit wurden dort hauptsächlich Verfolgte des Naziregimes untergebracht. Die meisten hatten Tuberkulose. Lina Betz, die Ehefrau von Adolf Betz, war 1936 mit meinem Mann zusammen in die Schweiz geflüchtet. Sie war auch politische Emigrantin in der Schweiz. Im Juni 1950 kam Adolf Betz, nachdem er Konzentrationslager und Strafbataillon überlebt hatte, in Frauenalb bei einem Brand ums Leben, bei dem Versuch, andere zu retten.

Mein Mann bemühte sich, die aktuelle kommunale Politik zu beeinflussen. Er wollte Stadtrat werden. Schon im Vorfeld seiner Stadtratstätigkeit war er in Karlsruhe als Funktionär der Kommunistischen Partei ziemlich populär geworden. Oft kamen Leute, die ein Anliegen hatten, auch in unsere Privatwohnung. Er half bei Wohnungsbeschaffung, bei Beschaffung von Möbeln und Kleidung, und es kamen auch Leute, die die sogenannten »Persilscheine« wollten. Das waren ehemalige Nazis, denen er bestätigen sollte, daß sie nur Mitläufer waren. Davon hing viel ab, zum Beispiel die Weiterbeschäftigung bei der Stadt, Geschäftseröffnungen und anderes. Einmal kam ein Ehepaar mit einem eingelegten Hasenbraten. Sie glaubten, damit ihre Sache besser vertreten zu können! Mein Mann nahm aber nie Geschenke an.

Zwei Welten

Die Elternhäuser von Friedrich und mir waren sehr verschieden. Ich kam aus einem bürgerlichen Milieu. Meine Eltern hatten ein Modehaus in Bad Ems, und wir besaßen ein geräumiges Wohnhaus. Mein Vater war Stadtverordneter der Deutschen Volkspartei gewesen, was für einen Juden ziemlich ungewöhnlich war. Seine politische Einstellung wurde auch in der Familie, insbesondere von seiner älteren Schwester Fanny Königsberger, stark kritisiert. Mein Elternhaus war nicht religiös. Das alles verhinderte nicht, daß wir einem latenten Antisemitismus ausgesetzt waren, der auch schon vor 1933 zu spüren war.

Ich erinnere mich, daß ich mich als Kind, wenn ich neue Freundinnen kennenlernte, sehr zurückhaltend verhielt. Bad Ems war eine Kurstadt, und es gab dort immer eine große Zahl fremder Menschen, und ich fürchtete mich immer vor antisemitischen Äußerungen. Ich zog mich dann wie in ein Schneckenhaus zurück.

Antisemitismus gab es, solange ich denken kann. Aber vor 1933 konnte man damit leben. Die Angst, neu gewonnene Freunde wieder zu verlieren, war immer da. Man atmete auf, wenn die Religion in einer Beziehung keine Rolle spielte, und zog sich zurück, wenn sie störte. Es ist immer schwer, zu einer Minderheit zu gehören. Heute geht es vielen Asylbewerbern sicher ähnlich.

Auch Friedrich wuchs in einem bürgerlichen Milieu auf. Leider nicht in einem richtigen Elternhaus, er verbrachte seine Kindheit bei den Großeltern. Seine Mutter war mit dem Vater nicht verheiratet, sie lebten aber jahrelang zusammen.

Sein Vater, ein Adliger aus dem Rheinland, kümmerte sich kaum um seinen Sohn. Er kannte ihn nur als Kleinkind. Durch den Ersten Weltkrieg, an dem er als Offizier beteiligt gewesen sein soll, wurden die geringen Kontakte unterbrochen und später nicht mehr aufgenommen. Aber er erkannte den Sohn an. Das ist auf der Geburtsurkunde von Friedrich Karl Hans Dietz vermerkt. Als Vormund wurde der Großvater bestellt, da die Mutter des Kindes mit 19 Jahren nicht volljährig war. Friedrich besuchte ein Gymnasium. Auf Wunsch seines Großvaters wurde er Ministrant. Friedrichs Vorfahren waren alle gläubige Katholiken. Als Jugendlicher trat er jedoch aus der Kirche aus. Schon damals machte er, was er wollte. Seine Schule wechselte er eigenmächtig, ohne Wissen seiner Familie, weil er Griechisch statt Latein lernen wollte.

Nach dem Abitur kam er mit der sozialistischen Jugendbewegung in Karlsruhe in Berührung. Das war kurz vor der Machtergreifung der Nazis. Er wurde Mitglied und kämpfte nicht nur verbal gegen die braune Gefahr. Auf Karlsruhes Straßen wurden regelrechte Schlachten zwischen Linken und Rechten ausgetragen. Als Fußballer, meist als Torwart, hatte er viele Freunde, die er politisch zum Teil beeinflussen konnte.

Friedrich wurde im Dezember 1909 geboren. 1933 war er 23 Jahre alt. Mit 20 Jahren, nach Schule und Lehre, erfaßte ihn das Reisefieber. 1930/1931 machte er sich allein auf den Weg. Er war in Frankreich, in der Schweiz, in Österreich, in Holland, in Polen, in Ungarn und kam sogar bis nach Rußland. Unterwegs lernte er viele Menschen kennen. Besonderen Eindruck machten ihm die Sinti und Roma in Ungarn. Einige Zeit hat er in ihrer Nähe gelebt. Dadurch konnte er ihre Lebensart und Mentalität selbst erforschen. Durch seine Reisen hat Friedrich andere Menschen, andere Völker und andere Sitten kennengelernt. Als Mitglied der Kommunistischen Partei haben ihm diese Erfahrungen später geholfen, seinen Horizont zu erweitern. Er hat immer seine eigene Meinung vertreten. Später als Parteifunktionär mußte er sich natürlich der Parteidisziplin fügen.

Nach meiner Meinung hätte er besser zum linken Flügel der SPD gepaßt. Aber meine Meinung war nicht gefragt.

Nach seiner Rückkehr nach Deutschland traf Friedrich mit seinen alten Kampfgenossen aus der Zeit vor und während des Nationalsozialismus zusammen. Viele waren eingesperrt und einige umgebracht worden. Sie hatten viel gelitten, ihre Arbeit wegen ihrer politischen Einstellung verloren und zusätzlich im Krieg noch Familienmitglieder verloren wie die übrige Bevölkerung. Durch die nazistische Sippenhaft waren ganze Familien von der politischen Verfolgung betroffen.

Ich verstand zu wenig von Politik. Doch ich empfand einen Unterschied zwischen den einfachen Genossen aus der Bundesrepublik, die ich kannte und die für Freiheit und Menschenwürde gekämpft hatten, und den jetzt regierenden Genossen in der DDR. Damit hatte mein Mann vermutlich auch Probleme. Er war durch die Jahre der Emigration in der Schweiz mit Flüchtlingen aus ganz Europa zusammengekommen.

Nun waren wir beide wieder in Deutschland. Wir kamen aus zwei verschiedenen Welten. Er gehörte, weil er zu den wenigen mutigen Menschen dieser Zeit zählte, zu einer Minderheit. Ich hatte keine Wahl. Ich gehörte von Anfang an zu einer verfolgten Minderheit.

Wiedergutmachung

Sehr bald, 1947, wurden Wiedergutmachungsmaßnahmen für rassisch und politisch Verfolgte auch in Karlsruhe durchgeführt. Oberregierungsrat Otto Hafner leitete diese Maßnahmen sehr korrekt und ohne persönliche Bevorzugung. Der öffentliche Anwalt für die Wiedergutmachung war Dr. Konrad Mezirek. Meine Schwester und ich stellten in diesem Zusammenhang Anträge auf Rückgabe unseres Elternhauses in Bad Ems, und mein Mann betrieb seine Wiedergutmachung als politisch Verfolgter.

Die Wiedergutmachung spielte nach der Währungsreform eine nicht unbedeutende Rolle bei den Naziopfern. Die meisten hatten nur ihr Leben retten können und besaßen sonst nichts mehr. Die Behörde wurde wie alle anderen Ämter schlecht besetzt. Der Ansturm der Antragsteller war groß. Der Aktenberg wuchs.

Soweit ich mich erinnere, war Dr. Mezirek anfangs der einzige Jurist und voll verantwortlich für den laufenden Betrieb. Außer den politisch Verfolgten, die meist wieder in Karlsruhe lebten, kamen Anträge von Juden, die noch ins Ausland geflüchtet waren. Ganz wenige jüdische oder »halbjüdische« ehemalige Einwohner waren auch zurückgekehrt.

Die Bearbeitung der Wiedergutmachungsfälle war langwierig, und es sollte oft Jahre dauern, bis ein Urteil gefällt wurde. Bei den rassisch Verfolgten ging es etwas schneller als bei den politisch Verfolgten, wenn es sich bei diesen um Kommunisten handelte. Dabei traf aber Dr. Mezirek keine Schuld, denn er war selbst Mitglied der Kommunistischen Partei und Stadtrat.

Häufig auch kamen die Anträge erst mehrere Jahre nach Antragstellung zum Abschluß. Das war zum Beispiel sehr ungünstig für meinen Mann.

Es begann die Zeit des Kalten Krieges. Die Kommunistische Partei, die am Anfang die gleichen Rechte wie die anderen zugelassenen Parteien hatte, wurde immer stärker angegriffen. Das wirkte sich auch auf die Wahlen aus. Die Partei verlor an Stimmen und Ansehen. Die politisch verfolgten Sozialdemokraten bekamen plötzlich auch bei der Wiedergutmachung bessere Chancen als die Kommunisten.

Ich erinnere mich noch, daß mein Mann um einen Anspruch kämpfen mußte, dessen Berechtigung völlig außer Zweifel stand. Sein Antrag wurde immer wieder zurückgestellt. Dr. Mezirek setzte sich sehr für ihn ein, aber von höherer Stelle wurden die Anträge abgeblockt. Gegen erlassene Bescheide mußte man Widerspruch einlegen, das bedeutete Zeitgewinn für die Behörde und Zeitverlust für uns.

Die damalige antikommunistische Strömung machte es möglich, daß auch bei der Wiedergutmachung eingegriffen werden konnte. Schikanen, wie zum Beispiel das Verlangen von immer wieder neuen Belegen, waren eine Möglichkeit. Dr. Mezirek rieb sich in dieser Tätigkeit mit wenig Personal auf. Das führte auch dazu, daß er mich beim Landgericht in Koblenz nicht vertreten konnte. Er beauftragte einen Kollegen in Koblenz. Dieser Kollege setzte sich aber mehr für die Gegenseite ein. Das war im Jahre 1950, die ehemaligen Nazis waren noch in Amt und Würden und hielten zusammen. Unser Fall war offenbar zwar schwierig, aber nicht aussichtslos. Leider aber verloren wir den Prozeß und somit das Haus.

Die Zeit 1929/30 bis 1933 war auch für die Emser Unternehmen eine schwierige ökonomische Phase gewesen. Wegen der hohen Arbeitslosigkeit gingen die Geschäfte schlecht. Fast alle hatten Schulden. In den Jahren 1933/34 konnten sich die »arischen Betriebe« weitgehend sanieren, während die jüdischen Geschäfte eingingen. Viele jüdische Geschäftsleute konnten ihren Verpflichtungen nicht mehr nachkommen, weil ihre Unternehmen boykottiert wurden. So ähnlich war das auch in unserem Fall verlaufen. Und damit wurde 1950 argumentiert.

Dr. Mezirek bearbeitete auch Ansprüche von Betroffenen, die im Ausland lebten. Es handelte sich fast ausschließlich um Juden, die Anträge gestellt hatten. Ein solcher Fall führte rein zufällig zu seinem »eigenen Fall«, zu Existenz- und Ehrverlust. Es ist mir noch heute unverständlich, wie ihm das passieren konnte, einem Mann, für den Ehrlichkeit und Pflichtbewußtsein alles bedeuteten.

Der Wiedergutmachungsantrag eines jüdischen ehemaligen Karlsruhers, der in den USA lebte, war abgeschlossen, das Geld vom Staat überwiesen und auf einem Anderkonto hinterlegt, zu dem Dr. Mezirek Zugang hatte. Der Besitzer wollte zu einem späteren Zeitpunkt nach Karlsruhe kommen, um es selbst abzuholen.

Vom Justizministerium Stuttgart war jemand eingesetzt worden, der Fehler in Dr. Mezireks Amtsführung aufdecken sollte, da man ihn loswerden wollte. Es war in der Zeit nach dem Parteiverbot, 1956.

Ausgerechnet zu diesem Zeitpunkt trat ein auswärtiger Kollege, ebenfalls Jurist, bei der Wiedergutmachung an ihn heran. Er bat Mezirek, ihm rund 20 000 DM für nur eine Woche zu borgen. Mezirek wurde seine Gutmütigkeit zum Verhängnis. Er hob das Geld bei dem erwähnten Anderkonto ab, weil er fest mit der Rückgabe nach einer Woche rechnete. Aber der Schuldner zahlte das Geld nicht zurück. Mezirek mußte den Betrag aus der eigenen Tasche ersetzen. Als er im Urlaub war, wurde der Fall aufgedeckt. Obwohl das Geld bereits von ihm zurückgezahlt war, wurde Dr. Mezirek fristlos entlassen. In seinem Verhör gab er nie den Namen seines Kollegen preis. Sein Leben und seine Existenz waren zerstört. In der Folgezeit war er als Anwalt in mehreren Kanzleien tätig, zuletzt bei Dr. Adler in Karlsruhe. Er hatte keinen Rentenanspruch. Mit 88 Jahren legte er die Arbeit nieder. Kurz danach starb er. Ich bin überzeugt davon, daß man seitens der Behörde weniger drastisch gegen ihn vorgegangen wäre, wenn er nicht der Kommunistischen Partei angehört hätte.

Die überparteiliche Frauengruppe in Karlsruhe

Am 17. Oktober 1946 wurde eine überparteiliche, überkonfessionelle Frauengruppe gegründet, deren Vorsitzende Luise Riegger war. Die Ziele, die sich diese Frauengruppe gesetzt hatte, waren folgende: Mitwirkung beim Wiederaufbau der Stadt, Mitarbeit in Flüchtlings-, Gesundheits- und anderen sozialen Fragen, Unterstützung in allen Frauenfragen von allgemeinem Interesse, Hausfrauenangelegenheiten und politische Erziehung und Schulung von Frauen. Die überparteiliche Frauengruppe wollte Anregungen zur Schulung von Frauen und Mädchen in einem demokratischen Staat geben.

Die Kommunistische Partei, der ich zwar nicht angehörte, beschloß, daß ich bei den überparteilichen Frauen Mitglied werden sollte. Einige Funktionäre und auch mein Mann fanden, daß ich den linken Flügel bei den sonst bürgerlichen Frauen vertreten könnte. Sie nahmen an, daß ich, da ich nicht aus einem Arbeitermilieu kam, bessere Voraussetzungen dazu hätte.

Auch Lina Betz war als Mitglied der KPD in der überparteilichen Frauengruppe, doch sie konnte die Sitzungen kaum besuchen, da sie zusammen mit ihrem Mann ein TBC-Sanatorium in Frauenalb leitete. Eine Hilfsorganisation der Schweiz, die Centrale Sanitaire Suisse, hatte die Weiterexistenz dieses Sanatoriums ermöglicht.

Somit befand ich mich jetzt fast immer allein und sollte eine Politik vertreten, von der ich nichts verstand. Doch ich lernte eine Menge in diesen Versammlungen. Die Mitglieder waren alle wesentlich älter als ich und hatten weit größere Erfahrungen in Politik und Beruf. Da ich ja versuchen mußte, die überparteiliche, sehr liberale politische Einstellung dieser engagierten Frauen mit der oft in Opposition befindlichen Politik meines Mannes in Einklang zu bringen, scheiterte ich meistens. Zum Glück überwog die Diskussion über soziale

Probleme, so daß ich auch manchmal aufgrund meiner Ausbildung einen Beitrag leisten konnte.

Einmal fühlte ich mich ganz stark. Der Vorstand der überparteilichen Frauengruppe wollte Gertrud Bäumer zu einer Veranstaltung einladen. Ich wußte, daß die ehemalige Frauenrechtlerin Gertrud Bäumer eine Symbolfigur für die deutschen Frauen vor 1933 war. Doch später hatte sie mit den Nazis zusammengearbeitet und nach meiner Meinung das Vertrauen ihrer Leserinnen ihrer Zeitschrift »Die Frau« mißbraucht. Ich wollte verhindern, daß sie nach Karlsruhe kam. Ich setzte mich so vehement gegen die Einladung ein, daß ich sogar einige der überparteilichen Frauen überzeugen konnte. Es gelang mir zu meiner eigenen Überraschung, die Einladung zu verhindern. Ich kann nicht mehr nachvollziehen, was die überparteiliche Frauengruppe als Organisation geleistet hat. Dazu fehlte mir damals der Überblick.

In der Zeit vor und kurz nach der Währungsreform fanden regelmäßige Sitzungen statt. Die Mitglieder waren bemüht, den Frauen in allen Fragen des täglichen Lebens Hilfe zu leisten. Mit der überparteilichen Frauengruppe hatte sich Luise Riegger eine große Aufgabe vorgenommen. Sie konnte bestimmt auch Frauen für Arbeiten zum Wiederaufbau heranziehen. Trotzdem wurde aus der überparteilichen Frauengruppe nie eine große Frauenorganisation. Später schloß sie sich dem deutschen Frauenring an.

Ich möchte nicht versäumen, einige Frauen der überparteilichen Frauengruppe, die mir besonders in Erinnerung geblieben sind, zu schildern. Es sind Menschen, die in dieser Zeit gewirkt haben und mit Karlsruhe immer verbunden sein werden.

Luise Riegger kannte ich nur als Vorsitzende der überparteilichen Frauengruppe. In Karlsruhe war sie schon bekannt. Vor 1933 hatte sie sich bereits politisch betätigt. Von Beruf war sie Lehrerin. Auch in der Nazizeit muß sie eine gute und gerechte Lehrerin gewesen sein. Eine spätere Mitarbeiterin erzählte mir ihre Geschichte, in der Luise Riegger eine nicht unbedeutende Rolle gespielt hat. Meine Kollegin war körperbehindert und wurde infolgedessen in der Nazizeit ständig diskriminiert. Frau Riegger war die einzige Lehrerin, die sich um sie kümmerte. Sie war ihr auch behilflich, gegen die mißlichen Verhältnisse anzugehen, die sie zu Hause insbesondere wegen ihrer Behinderung hatte. Im Dritten Reich war nur eine gesunde und sportliche Jugend erwünscht. Ich glaube, daß meine Mitarbeiterin ihrer Lehrerin immer dankbar für diese Hilfe gewesen ist. Damit hat Luise Riegger auch in der NS-Zeit versucht, ausgegrenzten Menschen zu helfen und sie zu beschützen. Sie war eine Persönlichkeit, die Charakter und Mut bewiesen hatte. Vielen Karlsruhern wurde sie später als Stadträtin der FDP bekannt.

Eine andere Stadträtin der FDP, die ich bei den überparteilichen Frauen kennenlernte, war Melitta Schöpf. Sie kam selten zu Sitzungen und meistens nur dann, wenn eine Wahl bevorstand. Sie wollte ins Stadtparlament gewählt werden und warb bei Frauen für Frauen. Ich fand, daß sie phantastisch aussah und Wählerinnen, bestimmt aber auch Wähler für sich gewinnen konnte. Sie hatte noch dazu den Vorteil, aus dem bekannten Modehaus Schöpf zu stammen. Ihre Eleganz, ihr Charme und ihre Liebenswürdigkeit beeindruckten mich damals sehr. Vielleicht hätte ich sie als Person gewählt, aber ich war gebunden. Aus Solidarität zu meinem Mann, der ebenfalls aufgestellt war, mußte ich mich für ihn entscheiden. Dazu kam, daß die Chancen der FDP wesentlich besser waren als die der KPD, wo jede Stimme zählte. Trotzdem war auch damals bei kommunalen Wahlen sehr häufig die Person und nicht die Partei ausschlaggebend.

Ein sehr ruhiges, aber fast immer anwesendes Mitglied war Frau Goldschmidt. Sie arbeitete als Pädagogin an der Musikhochschule. Wegen ihres Namens glaubte ich zuerst, Frau Goldschmidt sei Jüdin. Später stellte ich jedoch fest, daß es gerade in Karlsruhe viele Namen gab, die man für jüdische Familiennamen halten konnte. So gab es zum Beispiel sehr häufig die Familiennamen Goldschmidt und Mainzer als Namen nichtjüdischer Einwohner.

In der überparteilichen Frauengruppe gab es außer mir noch zwei ehemalige rassisch Verfolgte. Eine davon war Frau Pöschl, Gattin des Professors Pöschl. Sie konnte in Karlsruhe die Nazizeit überleben. Ihr Mann wurde während des Nazi-Regimes bei der Technischen Hochschule entlassen. Da es sich nach NS-Formulierung um eine privilegierte Mischehe handelte, blieb diese Frau zumindest vorerst verschont.

Die diesbezüglichen Gesetze wurden örtlich nicht immer gleich angewandt. Ich erfuhr, daß Eheleute in Karlsruhe, wenn der Mann »arisch« war, zusammenbleiben konnten. Nicht überall wurde darauf Rücksicht genommen. An meinem letzten deutschen Wohnort in Berlin wurde das ganz willkürlich gehandhabt. Es wurde mir berichtet, daß die jüdischen Frauen trotzdem den Stern tragen mußten. Sie wagten es kaum noch auszugehen und versteckten sich am Ende des Krieges, um keine Aufmerksamkeit mehr zu erregen.

Ich mochte Frau Pöschl sehr gerne, und da wir fast Nachbarn waren, trafen wir uns häufig beim Einkaufen und diskutierten. Frau Pöschl setzte sich sehr für die Ziele der Frauengruppe ein. Die Familie Pöschl hatte ihre Kinder noch vor dem Krieg in die USA schicken können. Eine verheiratete Tochter kam in den fünfziger Jahren bei einem Besuch in Karlsruhe durch einen Verkehrsunfall ums Leben. Diesen Schicksalsschlag haben Frau Pöschl und auch ihr Mann nie überwunden. Beide starben nicht lange nach dem Unglück kurz hintereinander.

Ein weiteres Mitglied der überparteilichen Frauengruppe, das ich recht gut kannte, war Dr. Ilse Erbrich. Sie gehörte zur CDU und war recht aktiv. Da wir in unmittelbarer Nähe wohnten, verbanden uns in erster Linie unsere Hunde. Frau Dr. Erbrich züchtete Dalmatiner, und ich hatte eine ganz gewöhnliche Mischlingsdame, die Tanja hieß und mir nicht folgte. Leider wurde sie von einer Straßenbahn überfahren. Nie hätte ich gedacht, daß mein Mann so sehr um den Hund trauern würde. Auch mir ging der Tod des Tieres sehr nahe, und Frau Dr. Erbrich kam mit ihren Hunden, um mich zu trösten. In dieser Zeit fiel mir ein, daß Linsen bei Juden ein »Trauermahl« gewesen sein sollen. Also kochte ich Linsensuppe. Unsere hundelose Zeit dauerte nicht sehr lange. Uns lief eine ausgewachsene Schäfer-

hündin zu, die vermutlich von Amerikanern zurückgelassen worden
war.

Frau Dr. Erbrich war Volkswirtin. Sie arbeitete mit Frau Gertrud
Holtzmann zusammen, deren Bekanntschaft ich auch bei den überparteilichen Frauen machte. Da mich Gertrud Holtzmann durch ihre
persönliche Ausstrahlung von Anfang an faszinierte, möchte ich ihr
ein ganzes Kapitel widmen.

Gertrud Holtzmann

Gertrud Holtzmann war eine große, kräftige, gutaussehende Frau von zirka 48 bis 50 Jahren. Als ich sie kennenlernte, war sie erst seit kurzer Zeit Witwe. Ihr Mann, Prof. Dr. med. Friedrich Holtzmann, starb 1947. Er war Oberregierungsrat, Landesgewerbearzt Professor an der Technischen Hochschule Karlsruhe gewesen, und er war wesentlich älter als seine Frau.

Gertrud Holtzmann wurde bald nach unserer Bekanntschaft sehr krank und konnte die Wohnung nicht mehr verlassen. In dieser Zeit, vor und nach der Währungsreform bis zur Geburt unserer Tochter 1950, habe ich sie häufig besucht. Sie wohnte in einer riesengroßen Altbauwohnung in der Bahnhofstraße 12. Durch ihre Krankheit konnte sie diese Wohnung kaum in Ordnung halten, und deshalb bewohnte sie nur noch ihr geräumiges Wohnzimmer. Dort spielte sich ihr Leben ab. Ich wurde Zuschauer und manchmal auch Beteiligte, wenn sie mir eine Aufgabe übertrug. Jedenfalls erfüllte es mich mit Stolz, daß sie mir soviel Vertrauen schenkte. Sie war meine erste wirkliche Bezugsperson in Karlsruhe, ohne davon zu wissen. In ihrem großen Wohnraum war alles vorhanden, was sie benötigte. Ein Schreibtisch, ein Radiogerät, das Telefon und ein runder Tisch mit riesigen Sesseln, an dem sie ihre Mahlzeiten einnahm und Besuche empfing.

Sie verbreitete eine gemütliche und zwanglose Atmosphäre. Bald nachdem sie nicht mehr ausgehen konnte, trug sie sich mit dem Gedanken, eine Haushaltungsschule zu gründen. Das war nicht einfach, denn sie brauchte Mitarbeiter, auf die sie sich verlassen konnte. Gegen die starken Beschwerden, die sie oft hatte, half ihr ein eiserner Wille. Sie nannte ihre Haushaltsschule, die sie tatsächlich ins Leben rief, Hauswirtschaftliche Lehrwerkstätten. Diese Tätigkeit gab ihr neue Kraft. Sie kannte viele prominente Leute und machte von ihren Beziehungen Gebrauch. Auch Bürgermeister Dr. Gutenkunst könnte das bestätigen. Sie rief ihn bei Tag und auch in der Nacht an. Manchmal erzählte sie aus ihrer Studienzeit. Sie kannte Theodor Heuss und seine Frau recht gut. Unser Bundespräsident war einst ihr Professor gewesen. Frau Heuss hat sie, als sie nicht mehr ausgehen konnte, mehrmals in der Bahnhofstraße besucht.

Es gelang ihr, Frau Dr. Ilse Erbrich für ihre Schule zu interessieren. Frau Dr. Erbrich erklärte sich bereit, den praktischen Teil des Unterrichts zu übernehmen. Die Pläne zum theoretischen Unterricht gestaltete Gertrud Holtzmann nach eigenen Ideen.

Mich schickte sie manchmal in diese Schule, um ihr Bericht zu erstatten. Sie steckte viel eigenes Geld in die Verwirklichung ihres Projektes und konnte auch Sponsoren gewinnen. Sogar die Stadtverwaltung Karlsruhe ließ sich einspannen und förderte die Lehrwerkstätten.

In der Vorweihnachtszeit ließ sie Gebäck nach eigenen Rezepten backen, lud mich ein und bat mich, unsere zugelaufene Schäferhündin mitzubringen. Asta, wie wir unsere Hündin nannten, war ein äußerst anhängliches Tier, das Angst hatte, wieder ausgesetzt zu werden. Man konnte sie immer frei laufen lassen. Allerdings liebte sie keine Uniformen. Nur da war Vorsicht geboten. In der Nähe der Bahnhofstraße stand ein junger Polizist in Uniform. Asta lief, ehe ich es verhindern konnte, auf ihn zu und legte ihm beide Pfoten auf die Schultern. Ich mußte den so festgehaltenen Ordnungshüter von meinem Hund befreien. Den zweiten Streich spielte er dann »seiner Gastgeberin«, Frau Holtzmann. Er schlich unbemerkt in die Küche, stand hochaufgerichtet am Küchenbüffet und fraß die Plätzchen auf! Trotz aller Hilfen und Sparmaßnahmen kam Gertrud Holtzmann mit den Lehrwerkstätten in große finanzielle Schwierigkeiten. Als sie 1954 an einem schweren Herzleiden starb, mußten die Lehrwerkstätten aufgelöst werden. Haushaltschulen in anderen Städten wurden aber von ihren Ideen inspiriert. Ich denke, daß fast nichts im Leben eines Menschen ganz umsonst gewesen ist.

Die Paulskirche in Frankfurt am Main

Die zweite Jüdin, die bei den überparteilichen Frauen mitarbeitete und in Karlsruhe die Nazizeit überleben konnte, war Olga Goyert. Auch sie lebte in einer geduldeten Mischehe. Ihr Ehemann, ein Ingenieur, hatte einen leitenden Posten bei der Firma Ritter in Durlach. Er konnte trotz jüdischer Ehefrau bis zuletzt dort arbeiten und seine Familie erhalten. Wieder ein Fall, der sich von der gängigen Praxis unterschied. Auch Olga Goyert blieb in der letzten Zeit der Nazidiktatur weitgehend in ihrer Wohnung, um keine Aufmerksamkeit zu erregen.

In Durlach kannten sich damals die Leute! Die Familie hatte zwei Söhne, Frank und Heinrich, die natürlich kein Gymnasium besuchen durften. Auch sie überlebten in Durlach und wanderten später nach Kanada aus. Der Vater starb 1952. Frank, heute über 70 Jahre alt, kam 1962 nach einem schweren Unfall zurück. Heinrich wurde auch Ingenieur und blieb mit seiner Familie in Kanada.

Nach Kriegsende setzte sich Olga Goyert sofort für den Neubeginn und den Wiederaufbau ein. Da sie solange in ihren »vier Wänden« eingesperrt gewesen war, trieb es sie hinaus. Sie betätigte sich in vielen Vereinen. Im Ersten Weltkrieg war sie Laborantin gewesen. Ich habe sie als schlanke, mittelgroße, energiegeladene Frau in Erinnerung. Ihre dunklen Haare waren schon mit weißen Fäden durchzogen. Olga Goyert baute die UNICEF (= die Abkürzung für United Nations International Children's Emergency Fund, Weltkinderhilfswerk, gegründet von den UN 1946, Sitz in Washington) in Nordbaden auf. Sie gehörte auch zu den ersten Mitgliedern der Arbeiterwohlfahrt in Karlsruhe. Olga Goyert wurde im Februar 1893 geboren und starb im Januar 1983 kurz vor ihrem 90. Geburtstag in einem Heim in Karlsruhe-Durlach.

Anfang 1948 wurde in der überparteilichen Frauengruppe über eine Delegation diskutiert, die an den Feierlichkeiten anläßlich der Hundertjahrfeier der Tagung der Frankfurter Nationalversammlung in der Paulskirche zu Frankfurt teilnehmen sollte. Zu meiner großen Überraschung wurde auch ich als jüngstes Mitglied dafür ausgewählt. Damals war es nicht so einfach, eine Delegation in eine andere deutsche Stadt zu schicken. Es gab nicht genügend Hotels, und wir mußten uns bemühen, in Frankfurt privat eine Unterkunft für zwei Tage zu finden. Ich hatte Glück. Freunde, auch Flüchtlinge aus der Schweiz, wohnten in Frankfurt und konnten mich aufnehmen. Er, ein Deserteur, hatte die Tochter eines Rabbiners geheiratet. Frankfurt wurde für mich ein Erlebnis. Die große, wenn auch noch sehr beschädigte Stadt verbreitete Weite und Weltoffenheit. Ich befand mich unter Menschen, die ganz andere Vorstellungen hatten als die Kommunisten. Da ich politisch ja auf keinem festen Boden stand, war ich hin und her gerissen.

Die Feierlichkeiten in der Paulskirche waren beeindruckend.

Sehr verunsicherte mich, als zwei oder drei Frauen plötzlich hereinplatzten und zu stören versuchten. Es stellte sich dann heraus, daß es KPD-Frauen waren. Die Gründe ihres Auftrittes habe ich nicht verstanden, und man hat sie mir auch nicht erklären können. Jedenfalls erzeugte dieser Vorgang in mir ein unangenehmes Gefühl, ein bißchen Scham und Trauer, weil ja mein Mann sich dieser Partei verschrieben hatte.

Die Rede zu der Jahrhundertfeier hielt der weltweit angesehene Antifaschist Fritz von Unruh. Auch von Unruh war vor den Nazis geflüchtet. Er gehörte zu den bekanntesten Autoren im antifaschistischen Widerstand. Schon im Mai 1936 hielt er in Basel vor 7000 Hörern seine Rede »Europa erwache«. Alle guten Geister Europas beschwor er (Plato, Kant, Goethe, Beethoven) in seinem Aufruf, den Krieg zu bannen. Von Unruh formulierte für die deutschen Soldaten Aufrufe, die in Form von Flugblättern bis 1940 von französischen Flugzeugen hinter der deutschen Westfront abgeworfen wurden.

Bereits 1933 war er nach Italien geflüchtet, dann nach Frankreich. Von dort reiste er mehrmals in die Schweiz. 1940 wurde er in Paris verhaftet. Später beim Vormarsch der Hitlerarmee entlassen. Durch das Eingreifen Roosevelts erhielt er ein »Emergency-Visum« für die USA. Im August 1940 kam er nach New York. Einstein holte ihn aus einem dortigen Internierungslager. Er lebte bis 1952 als »Enemy-Alien« (feindlicher Ausländer) unter Polizeiaufsicht. In Amerika hielt er während des Krieges im Radio Reden gegen Hitler, einmal sogar in Gegenwart von Mrs. Roosevelt. 1948 reiste er zum ersten Mal nach Deutschland. Dort hielt er seine berühmt gewordene »Rede an die Deutschen« anläßlich der Hundertjahrfeier in der Paulskirche.

Im gleichen Jahr 1948, ein Monat nach von Unruhs vielbeachteter Rede, gab es ein Ereignis, worüber alles andere vergessen wurde: die Währungsreform. Und wieder ein Jahr später, am 23. Mai 1949 trat die Verfassung der BRD in Kraft. Das Grundgesetz war zunächst nur als Provisorium bis zur Schaffung einer gesamtdeutschen Verfassung gedacht.

Kultur mit Briketts

Auch vor der Währungsreform war es nicht so, daß die Leute sich nur um materielle Dinge bemüht hätten. Die Verbesserung der Nahrung war zwar lebensnotwendig, doch es gab viele Menschen, die nach zwölf Jahren Diktatur wieder nach Kultur verlangten. Sehr bald entstand ein politisches Kabarett, das gut besucht wurde. Im Winter 1947/48 mußten die Besucher je ein Brikett mitbringen, damit der Raum geheizt werden konnte. Auch kleine Theatergruppen traten auf. Es war erstaunlich, wie aufgeschlossen und interessiert das Publikum war.

Schon 1946 gab es wieder eine Zeitung, die von der US-Militärregierung lizenzierten »Badischen Neuesten Nachrichten«. 1947 öffneten drei Kinos, der von Bomben schwer getroffene Stadtgarten konnte wieder eröffnet werden, und durch die Kaiserstraße fuhr erstmals nach dem Krieg eine Straßenbahn.

Mein Mann besuchte Kabarett und Theater nicht sehr oft. Er war eingespannt in seine politische Arbeit. Ich kam dadurch selten zu kulturellen Veranstaltungen, weil Karlsruhe nachts kaum beleuchtet war. Es war nicht ratsam, alleine auszugehen. Manchmal nahmen mich jedoch Bekannte mit.

Doch führten wir kein Familienleben, wie ich es mir vorgestellt hatte. An erster Stelle stand für Friedrich immer die Politik, die Partei und die damit verbundene Arbeit. In dieser Situation mußte ich an Palästina denken. Damals, als ich 16 Jahre alt war und mit der Jugendalijah dorthin gekonnt hätte, hatte ich mich geweigert. Auch dort stand an erster Stelle das Land, die Arbeit und danach kam der Mensch. In einem Kibbuz wollte ich meine eigene Persönlichkeit nicht verlieren. Wenn ich geahnt hätte, was danach in Deutschland passieren sollte, wäre ich diesen Weg ohne zu zögern gegangen.

Hier in Karlsruhe erging es mir nun nach Flucht und Emigration ähnlich. Ich konnte mein Leben, von dem ich schon so viele Jahre verloren hatte, nicht verwirklichen. Die Zeit nach dem Krieg hatte ich mir ursprünglich nicht als Leben in Deutschland vorgestellt. Da ich nun mit meinem Mann trotzdem hier gelandet war, befriedigte es mich nicht, überwiegend »Hausfrau« zu spielen und trotzdem kein Familienleben zu haben. Es wurde alles so eng, mir fehlte die große weite Welt, die jetzt offenstand, und mir fehlten meine Freunde, die ich in der Schweiz gefunden hatte. Viel lieber wäre ich im internationalen sozialen Bereich tätig gewesen. Das entsprach auch meiner bisherigen Ausbildung. Daran wollte ich weiterarbeiten, Sprachen, andere Länder und Menschen kennenlernen, nachdem sich mein Jugendwunsch, Lehrerin zu werden, nicht erfüllt hatte.

Für meinen Mann war seine Tätigkeit eine Selbstverständlichkeit. Ich glaubte damals, daß seine Arbeit viel zu wichtig sei, um sie mit meinen Zweifeln und meiner Unzufriedenheit zu behindern. Daß ich nicht mehr wie in Zürich tun und lassen konnte, was ich wollte, störte mich sehr. Insbesondere wenn ich Post von Freunden aus dem Ausland erhielt.

In dieser Zeit gab es die Spruchkammerverfahren im Zusammenhang mit der sogenannten Entnazifizierung, die ich mir einige Male anhörte. Es handelte sich stets um Vergehen, die mit den wirklich großen Naziverbrechen nichts zu tun hatten. Es waren Mitläufer! Einem nicht unerheblichen Teil führender Nazis, die Deutschland ins Verderben gestürzt hatten, gelang die Flucht sehr häufig nach Argentinien und in Länder der Dritten Welt.

Im Winter 1947 wäre ich beinahe mitten im Frieden gestorben. Ich bekam in Abständen fürchterliche Gallenkoliken und mußte schließlich ins Krankenhaus. Dort wurde festgestellt, daß das ganze Bauchfell schon vereitert war. Als die Ärzte sich zur Operation entschlossen, war ich nicht mehr ansprechbar. Mein Mann, der die Einwilligung geben sollte, konnte nicht erreicht werden. Er befand sich im Wahlkampf. Es ging um die Stadtratswahlen für 1948, und er hatte sich als Stadtrat für die KPD aufstellen lassen. Die Ärzte haben dann ohne seine Einwilligung operiert. Einige Tage danach brachten mir Parteimitglieder die Wahlunterlagen, damit ich meine Stimme im Krankenhaus abgeben konnte.

Die Währungsreform

Am 22. Juni 1950 wurde unsere Tochter geboren. Es wütete der Korea-Krieg, und die Zeitung »Neues Deutschland« aus der DDR, die mein Mann regelmäßig las, berichtete ausführlicher darüber als unsere »Badischen Neuesten Nachrichten«.

Ich war in der Folgezeit mit Kinderpflege und Haushalt belastet. Mein Mann ging seiner Tätigkeit nach. Nach dem Abendbrot war er nie zu Hause. Er hatte fast jeden Abend eine Versammlung.

Genau zwei Jahre vor der Geburt unserer Tochter war die Währungsreform in Kraft getreten. Jede Person erhielt 40 neue Deutsche Mark. Mit der Währungsreform hatte eine entscheidende Etappe der Nachkriegszeit begonnen.

In den beiden Jahren nach der Währungsreform ging es uns finanziell nicht besonders gut. Mein Mann erhielt nur eine geringe Vergütung von der Kommunistischen Partei, damit konnte man kaum leben. Ich hatte kein eigenes Einkommen. Meine Anträge auf Wiedergutmachung waren noch nicht bearbeitet. Wir mußten uns sehr einschränken. Während der Nazizeit und der Emigration hatte Geld für mich keine Rolle gespielt. Aber jetzt in Deutschland, wo das Leben sich zu normalisieren anfing, sah ich das mit anderen Augen.

Manchmal erhielt mein Mann als Stadtrat Freikarten für Theater oder andere Veranstaltungen. Die Diäten der Stadträte lagen damals zuerst bei 40, später bei 80 DM im Monat. Wenn ich im Theater mit Frauen der Bürgermeister und Stadträte aus SPD, CDU und DVP (FDP) zusammenkam, bemerkte ich, daß sich deren Lebensstandard schon erheblich verbessert hatte.

Ich erinnere mich, daß wir etwa 1951 Karten zu einer Eisrevue bekamen. Mein Mann rechnete mit meiner Begleitung, aber ich weigerte mich, weil ich keine entsprechende Garderobe hatte. Etwas wie Stolz verbot mir, den wahren Grund meines Fernbleibens zu nennen. All das läßt aber erkennen, daß ich mit meiner Situation nicht zufrieden war. So klar, wie ich es jetzt formuliere, war es mir damals nicht. Wahrscheinlich kam die verdrängte Vergangenheit hinzu.

Die Gegenwart fraß mich auf. Friedrich hatte für persönliche Dinge kaum Zeit. Er hatte eine Jüdin geheiratet, aber wie konnte ich verlangen, daß er mein Trauma begriff. Das Judentum war ihm so fremd wie mir sein Kommunismus. Ich sagte mir, die Frauen der Landes- und Bundespolitiker müssen auch damit leben, daß ihre Männer nie zu Hause sind. Aber diesen ging es zumindest finanziell wesentlich besser als einem kommunistischen Parteifunktionär.

Friedrich schrieb nebenbei Artikel für die kommunistische Zeitung »Volksstimme«. Auch ich veröffentlichte hin und wieder etwas aus dem Bereich der Arbeit mit Frauen oder Kindern. Bezahlt wurden diese Artikel nie. Mein Mann war ja Funktionär und erhielt eine Vergütung.

Nach dem Krieg versuchte ich, mich in die deutsche Gesellschaft voll zu integrieren. Ich war mit einem Deutschen verheiratet und wollte verhindern, daß meine Nachkommen die Schrecken meiner Jugend noch einmal erlebten mußten. Zwar glaubte ich, daß es keinen Antisemitismus mehr geben würde, da Europa fast »judenfrei« war. Vor der Flucht in die Schweiz hatten wir uns nur noch in jüdischen Kreisen bewegen dürfen. In den Schweizer Lagern gab es auch viele Juden. Hier in Karlsruhe hatte ich es plötzlich mit einem nicht jüdischen und politischen Umfeld zu tun. Ich mußte mich daran gewöhnen. Die Menschen, auch die politisch Verfolgten, waren anders. Das hatte nichts mit Religion oder Herkunft zu tun. Es fehlte einfach die jüdische Mentalität.

Die Weltjugendfestspiele in Ost-Berlin

1952 fanden in Ost-Berlin die Weltjugendfestspiele statt. Obwohl ich nicht sportlich, aber noch jung genug war, wollte ich gerne dorthin. Außerdem zog es mich nach Berlin, wo ich vor meiner Flucht gelebt hatte. Mein Mann war einverstanden, unser Kind konnte in Karlsruhe für diese Zeit versorgt werden. Die DDR hatte viel Propaganda gemacht. Es sollten Sportler aus der ganzen Welt kommen. Da mein Mann auch Kontakte nach Berlin hatte, kamen zwei junge Karlsruher zu ihm und fragten, ob sie auch mit ihrem Wagen dorthin fahren könnten. Das war damals nicht einfach, weil man eine Genehmigung von den DDR-Behörden benötigte, die oft verweigert wurde. Da Friedrich es für sie regeln konnte, waren sie bereit, mich mitzunehmen. Die jungen Leute hatten keine politischen Beweggründe. Sie wollten sich die Sportwettkämpfe ansehen.

Mir kam diese Mitfahrgelegenheit sehr gelegen, und ich wollte auch gerne mit den beiden Karlsruhern zusammenbleiben. Als wir ankamen und uns an der Sammelstelle meldeten, wurden wir gleich getrennt. Ich kam in ein privates Quartier im äußersten Osten Berlins. Die jungen Männer wurden in Massenquartieren untergebracht. Alles war bestens organisiert und klappte hervorragend.

Meine Gastgeber, eine Arbeiterfamilie, die in ärmlichen Verhältnissen lebte, waren wenig begeistert von dieser Einquartierung. Die Ostberliner waren verpflichtet worden, Gäste aufzunehmen.

Es war ein riesiges Spektakel. Angesehene Sportler kamen angereist, sehr viele aus den damaligen Volksrepubliken. Polen, Ungarn, die Tschechoslowakei, Jugoslawien, die Sowjetunion hatten ihren Sportlern und Genossen die Reise erlaubt. Zum ersten Mal machte ich Bekanntschaft mit Russen. Es wurden Zusammenkünfte organisiert. Insbesondere die westlichen Besucher sollten die Vorteile der

DDR-Jugend kennenlernen. Die Plaketten der Komsomolzen, des Jugendverbands der UdSSR, waren sehr originell. Der Komsomol wurde 1918 gegründet und erfaßte Jugendliche von 14 bis 16 Jahren. Die Komsomolzen, die in Berlin auftraten, waren sehr parteibewußt und zu absoluter Disziplin erzogen. Man hatte ihnen ein festes Weltbild eingebleut, und Stalin war ihr Gott.

Die Verpflegung wurde an bestimmten Sammelplätzen ausgeteilt. Wir bekamen große Eßpakete. Würste, Käse, Butter und Brot, so daß es sogar möglich war, unseren Gastgebern etwas davon abzugeben.

Die Bevölkerung, die in dieser Zeit schlecht versorgt war, sah dieses Fest mit sehr gemischten Gefühlen an. Als Gäste empfanden wir das nicht so. Die Wettkämpfe der Sportler in allen Disziplinen, Schwimmen, Rudern, Boxen, Ringen, Geräteturnen, Gymnastik, Tanz, Fußball, und dazu die Aufmärsche mit Fahnen aus vielen Ländern der Welt begeisterten uns. Leider verpaßte ich am letzten Tag, einem Sonntag, den großen Aufmarsch, der durch ganz Ost-Berlin ging. Man erzählte mir, er sei großartig gewesen.

Mit meinem Quartier war ich gar nicht zufrieden. Ich empfand mich als Eindringling. Meine Gastgeber waren bestimmt keine Parteianhänger, obwohl sie aus dem Arbeitermilieu kamen. Ich hätte gerne bei einem Bekannten meines Mannes gewohnt. Das habe ich bei unserer Ankunft dem Ordner bei der Sammelstelle auch gesagt. Aber die wollten keine Ausnahme machen. So war es angeordnet, und so blieb es.

Harald, ein Bekannter, hatte eine hohe Funktion bei der Partei. Er kam öfter in die Bundesrepublik und besuchte uns immer. Das erste, was er sich dann wünschte, war ein guter Kaffee. Haralds Familie lebte in einem Vorort von Ost-Berlin in einem Villenviertel. Sie bewohnten eine herrliche Villa am See. Harald hatte seine junge Frau aus einem kleineren Ort der DDR, wo er vorher Bürgermeister war, mitgebracht.

Der Haushalt bestand aus fünf Personen, dem Ehepaar, zwei Kleinkindern und einem Mädchen, das im Haushalt arbeitete. Die Familie lebte wie bei uns Kapitalisten. Diese Angehörigen einer Elite konnten in speziellen Läden einkaufen. Sie bezogen Waren aus dem Westen, die zwar viel teurer waren, aber sie verdienten genug. Obwohl ich nicht die Genehmigung dafür bekam, wechselte ich mein Quartier und verzichtete auf die kostenlosen Lebensmittel.

Zufällig traf ich in Berlin einen jungen Mann, einen Karlsruher. Er stand politisch links und studierte in Dresden. Er wollte Schauspieler werden. Da er kein Quartier hatte, nahm ich ihn mit zu Harald. Dieser glaubte, es sei ein abgesprochenes Treffen gewesen, und versprach, meinem Mann davon nichts zu erzählen.

Mit Haralds Familie hatte ich guten Kontakt. Über seine Parteitätigkeit wußte ich nichts. Er war ein gutaussehender, großer, sehr kräftiger Mann. Auch seine Frau Lona sah gut aus. Häufig kamen junge Polen zu Besuch. Lonas Ehemann wurde ebenso von der Partei beansprucht wie meiner.

Jahre später erzählte mir mein Mann, er habe erfahren, daß Harald aus der DDR geflohen und in der Bundesrepublik sei. Friedrich verbot mir, ihn in unsere Wohnung zu lassen, falls er bei uns auftauchen sollte. Das erregte mich sehr. Was ging es mich an, wenn er geflohen war. Er war ein Freund. Ich hatte seine Gastfreundschaft in Anspruch genommen, und jetzt sollte ich ihm die Türe vor der Nase zuschlagen?

Ich verstand meinen Mann nicht. Bei anderen DDR-Flüchtlingen verhielt er sich absolut neutral. Einem späteren Karlsruher Geschäftsmann, der sich abgesetzt hatte, war er in allen Bereichen behilflich. Wahrscheinlich hatte mein Mann in diesem Fall keine andere Wahl. Immer wenn es läutete, wurde ich nervös. Harald besuchte uns aber nicht, und ich habe ihn nie wieder gesehen.

Freund oder Feind?

Ein ähnlicher Fall, aber ganz anders gelagert als im Falle Haralds, passierte kurz danach. Friedrich war für einige Tage verreist. Ich blieb alleine mit Kind, Hund und Katze zu Hause. Und ich fühlte mich recht wohl, weil Alltag und Politik für kurze Zeit nicht an erster Stelle standen. Da läutete es an der Türe. Ich dachte, wenn das Harald ist, trifft es sich ganz gut. Draußen stand jedoch ein älterer Mann.

Da er einen sächsischen Akzent hatte, nahm ich an, daß er von »drüben« kam. Er wollte meinen Mann sprechen. Als ich ihm sagte, daß Friedrich verreist sei, verlangte er, in die Wohnung gelassen zu werden. Ich wußte nicht, ist das ein Funktionär der DDR, ein Spion der DDR oder ein westlicher Spion, der mich ausfragen soll. Blitzschnell überlegte ich. Vom Westen brauchten sie keinen Spion auf einen KPD-Sekretär anzusetzen. Das konnten sie einfacher haben.

Lange vor dem Verbot der KPD fanden bereits Hausdurchsuchungen bei verantwortlichen kommunistischen Mitgliedern statt. Auch bei uns! Für mich war das ein Trauma. Wenn es vor sechs Uhr morgens klingelte, fuhr ich zitternd hoch. Sofort fühlte ich mich zurückversetzt in die Nazizeit. Genau wie damals. Auch die Polizei der Nazis war immer vor sechs Uhr morgens erschienen, hatte die Wohnungen durchsucht und die Bewohner verhaftet. Und ich sollte das unter anderen Vorzeichen nun wieder durchmachen. Wieder ausgegrenzt, wieder Außenseiter der Gesellschaft. Diesmal wegen der Parteizugehörigkeit meines Mannes.

Er stand noch immer vor der Wohnungstür und wartete. Einem Spion aus der DDR mochte ich auch nicht in der eigenen Wohnung begegnen. Das konnte im Westen unangenehme Folgen haben. So wie er sich verhielt, nahm ich an, daß es ein Funktionär aus der DDR sein könnte. Aber keiner, der wie Harald geflüchtet war. Und so einen wollte ich jetzt erst recht nicht empfangen. Die Tür blieb verschlossen!

Eine Demonstration in Stuttgart

Für die Organisation einer Demonstration im Frühjahr 1953, die vor das amerikanische Konsulat in Stuttgart führen sollte, waren die Kommunistische Partei Deutschlands (KPD) und der Demokratische Frauenbund Deutschlands (DFD) verantwortlich. Zwei amerikanische Atomphysiker, Ethel und Julius Rosenberg, waren in den USA wegen Atomspionage vom US-Geheimdienst verhaftet und am 5. April 1951 zum Tode verurteilt worden. Trotz einer weltweiten Protestbewegung sollten sie im Sommer 1953 hingerichtet werden. Die Proteste gegen das Todesurteil sprachen von erwiesener Unschuld. Wir wußten darüber nichts Näheres. Mir ging der Fall besonders nahe. Es war ein junges jüdisches Ehepaar, das zwei unmündige Kinder hinterließ. Warum mußten sie sterben? Wir befanden uns zwar im »Kalten Krieg« und Amerika ging hart mit überführten Spionen um. Doch wenn es Zweifel gab, dann mußte zugunsten des Angeklagten entschieden werden.

Warum hat man sie nicht zu einer langen Haftstrafe verurteilt und weiterarbeiten lassen? Es handelte sich um hochqualifizierte Wissenschaftler. Amerika hätte von zwei eingesperrten Experten mehr profitieren können als von der Genugtuung, sie hingerichtet zu haben. Und den Kindern wäre der schreckliche Tod der Eltern erspart geblieben.

Der Bruder Ethel Rosenbergs, Klaus Fuchs, war ebenfalls Atomphysiker bzw. Kernphysiker. Er wurde wegen Geheimnisverrats an die Sowjetunion zu 14 Jahren Haft verurteilt. Ethel und Julius Rosenberg wurden am 20. Juni 1953 auf dem elektrischen Stuhl in den USA hingerichtet.

Demonstrationen und Proteste können Menschen aufrütteln und

Massen bewegen. Wenn aber die Machthaber kein Einsehen haben, ist alles vergebens. Kurz vor der Hinrichtung war der 17. Juni 1953. Der Aufstand in der DDR.

Amerika, mein Traumland während der Nazizeit und auch nach dem Krieg, verlor an Glanz. Der Fall Rosenberg hatte mich verunsichert.

Über die Zusammenhänge des Auftands in der DDR konnte ich mir kein Bild machen. Aber ich glaubte, daß der Westen die Massen im Osten aufgewiegelt hätte. Auch die russischen Panzer nahm ich in Kauf. Ich dachte, man wollte die DDR von außen vernichten. Viel später mußte ich meine Ansichten korrigieren lassen.

Fritzy Pataky

1953 war ein ereignisreiches Jahr. Im Mittelpunkt stand der Aufstand in der DDR, der das Leben hier kaum veränderte. Kurz vorher, am 5. März 1953, starb Stalin (geb. am 21.12.1879). Damals liebte ich ihn nicht, aber ich haßte ihn auch nicht. Das hatte seine Gründe. Die sowjetische Armee hatte die Vernichtungslager der Nazis befreit. Ohne die Sowjetarmee hätte der Krieg länger gedauert. Daß auch unter Stalin ohne Krieg soviel Menschen sterben mußten, wußte ich noch nicht. Bei meinem Mann hatte ich das Gefühl, daß er über Stalins Tod erleichtert war.

Einmal wurden mein Mann und ich vom Oberbürgermeister der Stadt Erfurt, der auch Karlsruhe besucht hatte, eingeladen. Das war nach Stalins Tod. Wir waren im ersten Hotel der Stadt, im Erfurter Hof, untergebracht und verlebten dort angenehme Tage. Nebenbei nahmen wir an Veranstaltungen und Versammlungen teil. Es wurde von uns erwartet, daß wir die Vorteile, die die Menschen in der DDR hatten, den Nachteilen in der BRD gegenüberstellen sollten.

Ich erinnere mich gut an eine Hausversammlung. Es ging um die Löhne der Arbeiter in Ost und West. In der DDR gab es noch für verschiedene Lebensmittel Bezugsscheine. Der Sprecher argumentierte folgendermaßen: »In der DDR kann jeder Arbeiter und Bürger alle Produkte, die es auf Bezugsscheine gibt, kaufen. Er hat die Mittel dazu. In der BRD gibt es alles, aber ein Arbeiter kann zum Beispiel an Lebensmittel nicht einmal das kaufen, was einem Arbeiter in der DDR auf Marken zusteht!« Uns beide hat diese Argumentation nicht überzeugt. Außerdem wurde die bessere Förderung der Jugend angesprochen. Die Einheitserziehung und die Mitgliedschaft in Organisationen wie der FDJ (Freie Deutsche Jugend) schienen selbstverständlich.

Fritzy Pataky 1954 mit Vertretern der FDJ in der DDR

Wir trafen uns damals auch mit der stellvertretenden Oberbürgermeisterin der Stadt Görlitz, die uns ebenfalls in Karlsruhe besucht hatte. Dieser damals sehr jungen Frau hatte die Partei die Ausbildung ermöglicht. Sie war von der Richtigkeit der Politik ihrer Regierung überzeugt. Uns gegenüber bedauerte sie, daß wir in der BRD leben mußten und es uns finanziell schlechter ging als ihr. Natürlich lebte mein Mann nicht wie ein Oberbürgermeister in der DDR. Das war nicht vergleichbar! Trotzdem hatte auch sie damals nur eine Dreizimmer-Wohnung. Ich erinnere mich, daß die Köpfe der »großen Vorbilder« Marx, Engels, Lenin und Stalin auf ihrem Büffet standen. Alle aus Gips. Ich sagte ihr: »Den Gipskopf von Stalin kannst du jetzt ausrangieren.« Da war sie entrüstet.
In dieser Zeit lernte ich Fritzy Pataky kennen. Sie kam damals aus Amerika und hatte die mexikanische Staatsangehörigkeit. Pataky war ihr Künstlername. Sie stammte aus Karlsruhe. Ihr Vater, Arnold Fischl (1877–1959) wurde in München geboren. Nach einem Studium der Kunstgeschichte eröffnete er in Karlsruhe ein Antiquitäten-

geschäft. Er war im In- und Ausland als Sachverständiger für Antiquitäten anerkannt.

Fritzy, geboren 1912, stammte nach der NS-Ideologie aus einer privilegierten Mischehe. Ihre Mutter war keine Jüdin. Sehr früh, 1933, fanden ihre Eltern eine Möglichkeit für sie, nach England zu kommen. Sie sollte einen Engländer heiraten, eine Scheinehe eingehen, um Deutschland verlassen zu können. Diese Scheinehe schien nicht zu funktionieren. Immerhin hatte sie aus dieser Verbindung einen Sohn.

In England ließ sie sich bald scheiden und wanderte in die USA aus. Vor 1933 besuchte sie unter anderem in Karlruhe die Musikhochschule. Sie hatte eine abgeschlossene Ausbildung als Musikerin. Fritzy war eine sehr gute Geigerin und auch Sängerin. In den USA hoffte sie, Karriere zu machen. Den Sohn nahm sie mit nach Amerika. Sie war optimistisch wie alle in dieser Zeit. Mit ihren rötlichen Haaren, dem hellen Teint und der guten Figur machte sie auf dem Podium mit der Geige in der Hand Reklame für sich und die Veranstaltung.

In den Vereinigten Staaten schloß sie eine zweite Ehe mit einem Amerikaner, die aber ebenfalls nach einigen Jahren geschieden wurde. Auch die dritte Ehe mit einem Mexikaner hielt nicht allzu lange. Durch ihre Musik und ihr Talent, gefördert vielleicht durch das ungarische Blut, das in ihren Adern floß, war es ihr möglich, mit Musik ihren Lebensunterhalt zu verdienen.

1953/54 entschloß sie sich, besuchsweise nach Karlsruhe zu kommen. Vermutlich kam sie auch wegen ihres Antrags auf Wiedergutmachung. Während ihres Hierseins wollte sie Konzerte geben. Bei dieser Gelegenheit lernte sie den Karlsruher Pianisten Gerd Betsche kennen. Gerd Betsche war bei seinen Großeltern aufgewachsen. Er war Vollwaise. Als Fritzy ihn kennenlernte, war er gerade 26 Jahre alt. Seine Großeltern lebten nicht mehr. Sie hatten ihm ihr Haus in der Brahmsstraße (Karlsruhe) hinterlassen. Fortan war Gerd ihr ständiger Begleiter, als Pianist und als Mensch.

Sie gab in Karlsruhe einige kleinere Konzerte und wandte sich an meinen Mann, weil sie auch in der DDR auftreten wollte. Da gerade in Görlitz Musikfestspiele in Vorbereitung waren, versuchte mein Mann über die uns bekannte stellvertretende Oberbürgermeisterin Gerlinde, ihr dort eine Auftrittsmöglichkeit zu verschaffen. Dirigent dieser Veranstaltungen, die eine ganze Woche dauerten, war Prof. Hermann Abendroth. Auch Fritzy Pataky kannte Abendroth schon aus der Zeit vor 1933. Jetzt war er Generalmusikdirektor der Weimarer Staatskapelle und Chefdirigent des staatlichen Rundfunkkomitees Berlin und Leipzig. (Von 1934–1945 Gewandhauskapellmeister in Leipzig). 1949 erhielt er den Nationalpreis.

Man hatte Fritzy die Mitwirkung als Violin-Solistin im Orchester Prof. Abendroths in einigen Stücken versprochen. Da Gerd Betsche verhindert war, wollte sie unbedingt meine Begleitung. Wir sollten mit der Bahn nach Erfurt fahren und dort übernachten, um am nächsten Morgen nach Görlitz weiterzureisen. Wie man meinem Mann mitteilte, war in Erfurt alles für uns arrangiert.

Im Zug befanden sich überwiegend Reisende, die zu Besuch in der Bundesrepublik gewesen waren und jetzt nach Hause fuhren. Sie waren begeistert von den wirtschaftlichen Fortschritten in der Bundesrepublik und schimpften, da wir ja noch im Westen waren, lauthals über die Verhältnisse in der DDR. Es wunderte uns, denn es hätte ja auch ein Spitzel dabei sein können. Wir versuchten sogar, die DDR zu verteidigen, das heißt, die guten Seiten dieses Staates hervorzuheben. Aber ohne Erfolg.

Als wir an die Grenze kamen, wurden alle Personen abgefertigt außer uns. Der Beamte befahl uns auszusteigen. Wir waren sprachlos. Alle, die unaufhörlich gemeckert hatten, konnten die Grenze passieren, und ausgerechnet wir wurden festgehalten. Der Grenzbeamte brachte uns in eine Baracke und sagte, wir sollten warten. Ich erklärte ihm, daß Frau Pataky als Solistin bei den Musikfestspielen erwartet würde. Das machte auf ihn keinen Eindruck. In einer anderen, größeren Baracke saßen Offiziere, die nicht gestört sein wollten.

Fritzy hatte bereits genug von der DDR und wollte zurück. Sie holte ihre Geige aus dem Kasten und spielte auf dem Bahnsteig. Reisende umringten sie. Mein Mann hatte sich so eingesetzt, um eine internationale Künstlerin als Gast in die DDR zu bringen, deshalb wollte ich ihm diese Blamage ersparen. Ich ging zu der Unterkunft der Offiziere, wartete gar nicht, bis sie mir einzutreten erlaubten, sondern stand nach kurzem Klopfen gleich im Raum.

Dort erfuhr ich zuerst einmal, warum ausgerechnet wir festgehalten worden waren. Der Beamte, der Ausländer abfertigt, war in Urlaub und kam erst am nächsten Morgen zurück. Solange sollten wir warten! Aber dann hätten wir die Termine nicht einhalten können. Ich gab keine Ruhe und veranlaßte einen der Offiziere, den Oberbürgermeister in Erfurt anzurufen.

Als dieser endlich erreicht werden konnte, es war Sonntag, bestätigte er meine Angaben. Daraufhin schickte man uns aus Erfurt ein offenes Militärfahrzeug mit zwei uniformierten Soldaten, und so fuhren wir beim Erfurter Hof, unserem Nobel-Hotel vor. Die Weiterreise nach Görlitz verlief ohne Schwierigkeiten. Fritzy mußte gleich zu einer Probe. Prof. Abendroth war wenig begeistert, daß er eine ausländische Solistin mitauftreten lassen mußte, und er machte ihr auch genügend Schwierigkeiten. Doch die Musikfestspiele waren ein Erlebnis, und auch »die mexikanische Geigerin« schnitt gut ab.

Auf dem Rückweg unterbrachen wir unsere Reise noch einmal in Erfurt. Fritzy hatte in Görlitz ein Honorar erhalten. Mit dem Geld konnte sie in der BRD nichts anfangen. Deshalb wollte sie versuchen, in Erfurt, der größeren Stadt, etwas einzukaufen. Ich erstand Spielzeug für meine Tochter. Die erstandenen Puppen und Kasparfiguren waren aus gutem Material.

Da Fritzy auf Bitten der Stadtverwaltung einige Altersheime besucht und für die Insassen gespielt hatte, überreichte ihr eine Gruppe der FDJ zum Dank aus der Blumenstadt Erfurt einen großen Blumenstrauß.

Die KPD aus meiner Sicht

Bei den Stadtratswahlen 1953 bekamen die Kommunisten so wenig Stimmen, daß nur die Stadträte, die 1951 neu hinzu gekommen waren, ihr Mandat behielten. Mein Mann, der seit 1948 im Stadtrat gewesen war, mußte laut Statuten ausscheiden. Für ihn, aber auch für die KPD war das ein harter Schlag. F. K. H. (Friedrich Karl Hans) Dietz, wie er überall hieß, war der beste Politiker, den die Partei in Karlsruhe hatte. Es blieben im Stadtrat Konrad Mezirek und Fritz Heidt.

Friedrich, nun ganz auf Parteipolitik gestellt, war nicht sehr glücklich. In seiner Funktion als Stadtrat konnte er vielfältig tätig sein. Nicht nur parteipolitisch. Ich sah, daß er mit einigen Anweisungen, die über Stuttgart vermutlich auch aus der DDR kamen, nicht einverstanden war. Aber er blieb immer loyal.

Einmal war er wütend wegen eines Artikels, der in den Badischen Neuesten Nachrichten gegen die KPD erschienen war. Kurzerhand bestellte er die Zeitung ab. Der damalige Senior-Chef Bauer schrieb ihm: »Mir paßt auch manches nicht, was im `Neuen Deutschland´ steht, und ich lese es doch.« Daraufhin abonnierte F. K. H. Dietz die Zeitung wieder.

Eines Tages wurde die Parole laut, daß die Genossen, die in westlicher Emigration gewesen waren, nicht zuverlässig seien. Mein Mann, der in der Schweiz gewesen war, fiel unter diese Kategorie, mußte als Parteisekretär seine Arbeit unterbrechen und monatelang täglich mit dem Zug nach Stuttgart in die Parteizentrale fahren. Das bedeutete, daß er um sechs oder sieben Uhr aus dem Haus ging und meistens erst nachts zurückkam. Als ob die damals verfolgten Kommunisten ihr Fluchtziel hätten aussuchen können. Jedenfalls gab es in dieser Zeit für uns kaum noch ein Familienleben.

Fackelzug in Karlsruhe. Von links: Albert Maag, F. K. H. Dietz, Robert Klausmann (Foto: privat)

Durch die zunehmende Kommunistenhetze bekam ein Teil der Bevölkerung Bedenken, sich bei Veranstaltungen sehen zu lassen, die von der KPD organisiert waren. Viele fürchteten existentielle Nachteile. Sie vermieden die Kontakte, teilweise auch privat. Mich trieben diese Maßnahmen wieder in eine Enge, der ich entgehen wollte. Nun hatte ich einen »Christen« zum Mann, und gerade durch ihn kam eine erneute Isolation.

Die Genossen, die während der Nazizeit verfolgt waren und jetzt im Kalten Krieg wieder Opfer ihrer Überzeugung wurden, traf diese Maßnahmen weniger hart. Vielleicht weil sie nicht in jeder Beziehung zu einer Minderheit gehörten und weil sie nie aufgehört hatten, an ihre Sache zu glauben.

Für mich stellte sich dieses Problem anders dar. Obwohl ich mich ganz auf Deutschland und die Politik meines Mannes eingestellt hatte, fehlte irgend etwas. Ich drehte mich im Kreise und vergaß sogar, die Kriege in Israel zu verfolgen.

Kurz vor der Währungsreform wurde am 14. Mai 1948 von David Ben Gurion (1886–1973), dem ersten Ministerpräsidenten und Verteidigungsminister, der Staat Israel ausgerufen. Damals erfaßte ich nicht wirklich, was das für die Juden in der Welt bedeutete. Sie hatten eine Zuflucht gefunden, eine Heimat für alle Fälle, auch wenn sie nicht dort lebten.

Ein guter Bekannter, auch ein Kommunist, war Fritz Aschinger. Mein Mann kannte ihn aus der Zeit vor der Emigration. Aschinger hatte im Ersten Weltkrieg im Alter von 20 Jahren ein Bein verloren und quälte sich ständig mit Prothesen, die oft schlecht angepaßt waren und Schmerzen verursachten. Gleich nach Kriegsende wurde er am 28. August 1945 von der Militärregierung als Stadtrat eingesetzt. Später mußte er zurücktreten, da er als Personalratsvorsitzender der Stadtwerke nicht Stadtrat sein durfte. Er war, obwohl seine politische Einstellung bekannt war, bei den Bediensteten äußerst beliebt, weil er sich stets für die Belange der Belegschaft einsetzte.

Die führenden Köpfe der KPD in Karlsruhe waren: Riedinger, Dietz, Mezirek und Aschinger. Der Schwerpunkt der Politik, die von den Kommunisten insbesondere in der Zeit von 1953 bis 1955 betrieben wurde, waren Proteste gegen die Wiederaufrüstung und für die Wiedervereinigung. Viele Deutsche zweifelten an einer möglichen Wiedervereinigung, da es seit 1948 für die beiden Teile Deutschlands verschiedene Währungen gab und jeder Teil zu einem anderen Machtblock gehörte. Während der Regierungszeit von Bundeskanzler Konrad Adenauer wurde offensichtlich, daß er die Kommunistische Partei los sein wollte. Dafür fanden sie immer neue Anlässe. Zum Beispiel wurde im Mai 1954 eine Druckerei der KPD, deren Aktivitäten nach höchstrichterlicher Einschätzung für verfassungswidrig erklärt wurden, ausgehoben. Demonstrationen gegen Remilitarisierung wurden verboten oder behindert. Für ihre Veranstaltungen vermieteten die Wirte der KPD oft keine Lokale mehr, und so setzten sich die Schwierigkeiten fort.

Ende 1953 bemühte sich die Stadtverwaltung um die Errichtung eines Atomversuchsreaktors auf Karlsruher Gemarkung, nördlich von Maxau. Bei der ersten Besichtigung des Terrains nahm mein Mann mich mit. Ich weiß noch, daß er zu der Minderheit gehörte, die gegen den Reaktor waren. Aber es gab damals auch noch Gegner aus den bürgerlichen Parteien. Man hatte Angst.

Als dann 1955 die Bundesregierung den Bau bei Karlsruhe beschloß, stimmte der Gemeinderat mit 43 Ja- und 6 Neinstimmen zu. Man erwartete neue Arbeitsplätze, auch die örtliche Industrie war interessiert.

Ein Ereignis, das ganz Deutschland verfolgte, war das Enspiel der Fußball-Weltmeisterschaft: Ungarn gegen Deutschland. Das Spiel fand im Sommer 1954 in einem Berner Fußballstadion statt. Deutschland gewann sein erstes internationales Fußballturnier nach dem Krieg. Unter der Bevölkerung wurde vor Spielausgang sogar die Meinung vertreten, ein Sieg der Ungarn sei besser für Deutschland. Man befürchtete als besiegtes Volk politische Nachteile.

Der Demokratische Frauenbund Deutschlands (DFD)

Der Demokratische Frauenbund Deutschlands (DFD) warb um alle Frauen, die fortschrittlich und auch politisch interessiert waren. Diese Organisation unterstand nicht der KPD, obwohl häufig ähnliche Interessen vertreten wurden. Der DFD war im März 1947 in Ost-Berlin gegründet worden. In Westberlin wurde er 1948 zugelassen, war aber in den übrigen Besatzungszonen verboten. Ab Frühjahr 1950 gab es in der BRD ebenfalls Gründungen auf örtlicher Ebene, die nicht mehr verboten waren.

Es gab ein Programm mit folgenden Schwerpunkten: Die Mitglieder des DFD setzten sich für die Gleichberechtigung der Frau in Betrieb und Familie ein. Sie bemühten sich um Kinder sozial schwacher Familien. Sie organisierten Ferien für Kinder in der damaligen DDR. Sie kämpften gegen die Wiederaufrüstung. Sie appellierten dabei an die Frauen, die ihre Männer, Söhne, Väter und Brüder verloren hatten. Ein Slogan hieß: Wir haben unsere Söhne nicht für den Krieg geboren.

Auch die Wiedervereinigung war eines der Themen. Ich erinnere mich an den ersten Vers eines Liedes »Ami, ami go home, spalte für den Frieden dein Atom!« Allerdings wurde dabei nicht bedacht, daß die Russen dann hätten auch heimgehen müssen!

Der 8. März, der internationale Frauentag, war ein festes Datum. Er wurde, solange der DFD bestand, gefeiert. Auch gegen den § 218 wurden Proteste erhoben. Vor Betrieben verteilten Frauen Flugblätter, insbesondere gegen die Remilitarisierung und die atomare Aufrüstung. Nach 1952, als unsere Tochter schon etwas größer war, fragte mein Mann, ob ich dort mitarbeiten wollte. Da die Frauen, die Kinder hatten, sich auch zu Gruppennachmittagen trafen, war ich einverstanden, da es eine Abwechslung versprach.

Veranstaltung des DFD. Von rechts: Hilde Wagner, Edith Dietz, unbekannt; ca. 1955 (Foto: privat)

Die Leitung des DFD hatte zuerst Friedel Reger. Sie war 1933 von der KPD als Abgeordnete für den Landtag aufgestellt worden. Sofort nach der Machtübernahme der Nazis wurde sie verhaftet. Sie mußte 27 Monate in Einzelhaft verbringen. Nach dem Krieg engagierte sich Friedel Reger wieder. Da sie berufstätig und bei der Stadtverwaltung beschäftigt war, mußte sie ihre politische Arbeit reduzieren. Ihre Nachfolgerin war Ruth Grimm. Ruth Grimm stammte nicht aus Karlsruhe, sie kam ursprünglich aus Berlin. Die Eltern, beide Künstler, hatten Deutschland schon lange vor 1933 verlassen. Sie waren mit den Töchtern über Holland nach Frankreich emigriert. Ruth Grimm mußte sich, als der Krieg in Frankreich ausgebrochen war, als deutsche Staatsangehörige bei den Franzosen melden. Mit einem Sammeltransport wurde sie in das Lager Gurs in den Pyrenäen gebracht. Dort lebte, besser vegetierte ein Großteil der Karlsruher Juden, die im Oktober 1940 mit allen Badener Juden dorthin verschleppt worden waren. In Gurs war sie mehrere Monate inhaftiert. Ihr Schwager, ein Franzose, bürgte für sie und konnte sie dadurch befreien. 1944 mußte sie während des Krieges nach Deutschland zurückkehren. Ihr Transport wurde von Tieffliegern beschossen und sie dabei schwer verletzt. Durch ihren ersten Mann, der bei den spanischen Partisanen gekämpft hatte, bekam sie Verbindung mit der KPD.

Ruth Grimm entwarf für Karlsruhe das Programm des DFD und leitete die Veranstaltungen. Sie betätigte sich als Kreisvorsitzende. Da Ruth Grimm sich lange im Ausland aufgehalten und auch studiert hatte, fiel ihr diese Tätigkeit nicht schwer. Viel schwieriger war es für sie, Frauen zu interessieren und für die Ziele des DFD zu gewinnen.

Irma Schnepf, die ich durch meinen Mann kennengelernt hatte, gehörte ebenfalls zum DFD. Sie war wesentlich älter als ich und hatte bereits eine klare politische Einstellung: Sie war Kommunistin. Ihr Aussehen faszinierte mich. Sie behauptete, ein bißchen Sinti- und Romablut in den Adern zu haben. Jedenfalls hatte sie ungeheuer viel Temperament und verkörperte eine gute Schauspielerin. Bei

Veranstaltungen war sie es, die Theaterstücke oder Gedichte vortrug.

Auch als Max Reimann, der 1. Vorsitzende der KPD der Bundesrepublik Deutschland, in Karlsruhe sprach, war sie Mitveranstalterin und saß mit auf dem Podium. Ihre Kleidung hatte einen besonderen Schick. Sie war immer sehr gut angezogen. Wir drei, Ruth Grimm, Irma Schnepf und ich, verstanden uns sofort und wurden ein gutes Team. Von mir war am wenigsten zu erwarten. Ich, die weitaus Jüngste, hatte politisch keine Erfahrung. Trotzdem glaubte ich damals, daß wir »drei« jetzt große Politik machten.

Die übrigen Frauen konnten wir meist rasch überzeugen. Ich erinnere mich, daß ich von Irma Schnepf aufgefordert wurde, einen Abend mit Frauen zu gestalten. Als ich ablehnte, sagte sie, ich würde doch wohl imstande sein, eine Gruppe ein paar Stunden zu unterhalten beziehungsweise zu schulen. Viel Zeit blieb mir nicht. Deshalb beschloß ich, Tagesthemen zu diskutieren. Mit mehreren Zeitungen beladen, kam ich an. Immerhin hatten sich etwa 30 Frauen eingefunden, die an einem langen Tisch saßen und auf mein Referat warteten. Ich machte also Tagespolitik, besprach die Artikel der Tagespresse und vertrat meine Ansicht dazu. Dabei kam mir die Idee, die anderen nach ihrer Meinung zu fragen. Also stellte ich Fragen und sprach die Anwesenden einzeln und direkt an, fast wie in der Schule. Das machte auch mir Spaß, denn ich wollte ja immer Lehrerin werden. Es belebte die Diskussion, und die Leute langweilten sich nicht. Jedenfalls hatte ich mit meiner »Notlösung« viel Erfolg. Ich wurde sogar wieder für einen »Vortrag« von dieser Gruppe eingeladen, dieses Mal weigerte ich mich jedoch entschieden..

Ruth Grimm und ich hatten die Idee, eine Einzelaktion zu starten, da in Karlsruhe zur gleichen Zeit ein Ärztekongreß und eine Aktion des DFD gegen die atomare Bewaffnung stattfanden. Genau neun Jahre zuvor hatten die Amerikaner ihre Atombomben auf Hiroshima (6. August 1945) und Nagasaki (9. August 1945) abgeworfen. Der Demokratische Frauenbund hatte dazu aufgerufen, der Opfer in Japan zu gedenken, und mitzuwirken, daß so etwas nie wieder geschehen würde. Ruth Grimm und ich gingen auf den Ärztekongreß und sprachen die Ärzte daraufhin an. Wir glaubten bei den Ärzten an der richtigen Adresse zu sein, und es gab auch einige, die uns zuhörten und unsere Forderung unterstützten.

Schon vorher hatten wir einen anderen Plan zusammen ausgeführt. Bald nach der Währungsreform gab es wieder Kriegsspielzeug. In den Schaufenstern sahen wir Panzer, Gewehre, Soldaten, Pistolen und anderes mehr. Wir besuchten die Inhaber der Spielwarengeschäfte und baten sie, das Kriegsspielzeug aus dem Schaufenster zu nehmen. Bei einem Geschäftsmann hatten wir Glück. Doch durch die Verhärtung des Kalten Krieges wurde unsere Tätigkeit sehr beeinträchtigt. Ich fand, daß wir uns meistens im Kreis bewegten und es uns nicht gelang, neue Menschen für unsere Ideen zu gewinnen.

Da für mich vieles mehr Zeitvertreib als ernste Arbeit und Überzeugung war, ließ mein Interesse allmählich nach. Ich erinnere mich nicht, daß man als Mitglied geführt wurde, also ein- oder austreten mußte. Ein Mitgliedsbeitrag wurde nicht erhoben. Dadurch war es einfach, sich zurückzuziehen. Der Demokratische Frauenbund Deutschlands wurde 1957 als verfassungswidrig und staatsgefährdend erklärt. Es gab kein Gerichtsurteil. Das Verbot wurde am 10. April 1957 vom Innenminister der Länder ausgesprochen.

Die Arbeiterwohlfahrt Karlsruhe

Zu einer ungeheuer erfolgreichen Organisation entwickelte sich seit ihrer Wiedergründung 1946 die Arbeiterwohlfahrt. Bereits im Dezember 1919 hatte die Reichstagsabgeordnete Marie Juchacz im Auftrag des Vorstandes der Sozialdemokratischen Partei den »Hauptausschuß der Arbeiterwohlfahrt« gegründet. Gerade als diese Organisation in voller Blüte stand, wurde sie im Frühjahr 1933 von den Nazis verboten und aufgelöst. Das Vermögen der Organisation wurde beschlagnahmt.

Im Februar 1946 fand die Wiedergründung der AWO Karlsruhe statt. Die prominentesten Vorstandsmitglieder der ersten Stunde waren Karl Siebert, der Vater der bekannten Politikerin Hanne Landgraf, und Kunigunde Fischer. Beide wurden später Ehrenbürger der Stadt Karlsruhe. Ich kannte sie, wenn auch nur flüchtig, persönlich.

Kunigunde Fischer, Stadträtin und spätere Landtagsabgeordnete war eine Persönlichkeit, die man nicht vergißt. Ihre Wärme, ihre Hilfsbereitschaft und ihre Intelligenz halfen vielen Menschen. Ebenso bekannt und verehrt wurde Hanne Landgraf, die damals als eine der Jüngsten dem erweiterten Vorstand angehörte. Sie wurde später ebenfalls Stadträtin und Landtagsabgeordnete.

Zum erweiterten Vorstand gehörten auch Friedel Reger, und eine der beiden Beisitzerinnen war Irma Schnepf. Das zeigt, daß es in der allerersten Nachkriegszeit Zusammenarbeit zwischen Mitgliedern der SPD und KPD gab.

Die beiden Frauenorganisationen, Überparteiliche Frauengruppe und Demokratischer Frauenbund Deutschland (DFD), hatten, wenn auch aus verschiedenen Gründen, keine Chance zu überleben. Dagegen wurde die AWO Karlsruhe, die schon damals neue Wege ging, zu einer gewaltigen Organisation. Sie verstand sich nicht mehr als Vereinigung innerhalb der SPD, sondern entwickelte sich als selbständiger Verband. Schwerpunkt war ihr Engagement in vielen Bereichen der praktischen Sozialarbeit. Für mich war die AWO Karlsruhe ebenso bedeutend wie die Caritas oder die Diakonie.

Leider hatte ich wenig Gelegenheit, die AWO in ihrer Anfangszeit kennenzulernen. Wenn ich heute zurückblicke, glaube ich, daß mir auch schon aufgrund meiner Ausbildung die Mitarbeit bei der AWO mehr zugesagt hätte, als die »nur politische Tätigkeit« meines Mannes.

Ich glaube, daß dies auch meiner Schwiegermutter, einer religiösen Katholikin, besser gefallen hätte. Sie lebte nach dem Krieg, nach der Evakuierung aus Stuttgart, in Oberndorf am Neckar, in einem kleinen, überwiegend katholischen Ort. Ich merkte, daß sie sich schämte, dort über ihren Sohn, den Kommunisten, zu sprechen.

Heute ist die AWO in Karlsruhe in allen Stadtteilen vertreten. Sie unterstützt, berät und betreut in 24 sozialen Einrichtungen mit insgesamt 280 Mitarbeiterinnen und Mitarbeitern und 150 Zivildienstleistenden Menschen in verschiedensten Lebenssituationen. Toleranz und Solidarität sind die Leitgedanken ihrer Arbeit.

Flugblätter à la F. K. H. Dietz

Als F. K. H. Dietz nach 1953 als Stadtrat ausscheiden mußte, wurde Hanne Landgraf das erste Mal als Stadträtin der SPD gewählt. Mein Mann bedauerte sein Ausscheiden mehr, als er sich anmerken ließ. Er hatte sehr viel Sympathie für die junge Politikerin Hanne Landgraf. Obwohl er, wie ich schon feststellte, mit dem Kurs der KPD nicht immer einverstanden war, hatte er nie einen Wechsel, zum Beispiel in die SPD, erwogen.

Ich erinnere mich an eine große Veranstaltung in der Gartenhalle. Damals war Dietz noch Stadtrat und Töpper Oberbürgermeister. Der SPD-Stadtrat und spätere Oberbürgermeister Klotz sagte zu mir:»Ihr Mann sollte zu uns kommen, da könnte er es zu etwas bringen.« Mir wäre das ebenfalls sehr recht gewesen. Dabei dachte ich an Herbert Wehner, der durch seinen Wechsel auch nicht an Ansehen verloren hatte.

In den Jahren 1954/55 betätigte sich Friedrich als Parteisekretär und Journalist. Er schrieb vorwiegend für das Volksecho (KP-Organ). In dieser Zeit liefen in Karlsruhe verschiedene Prozesse gegen Funktionäre der KPD. Es handelte sich vorwiegend um Anklagen wegen Verfassungsfeindlichkeit und Staatsgefährdung, wahrscheinlich schon im Hinblick auf ein Parteiverbot. Einige Genossen waren bereits in Haft. Ich erinnere mich an einen Prozeßtag, der sich mit zwei Inhaftierten befaßte. Diesen gelang es, aus dem Fenster des Gerichtssaals zu springen und zu flüchten.

Einer davon war der damalige Bundesvorsitzende der FDJ (Freie Deutsche Jugend) in der Bundesrepublik Deutschland, Jupp Angenfort. Mir war gar nicht bekannt, daß es auch eine FDJ in der BRD gab. Den beiden gelang die Flucht in die DDR, und Angenfort schrieb von dort einen Brief an das Karlsruher Gericht.

Der Arbeiter Nr. 3

Der Name "GRITZNER"
durch einstweilige Verfügung
... untersagt

Betriebszeitung der Betriebsgruppen der KPD

Die Gritznerarbeiterinnen, Arbeiter und Angestellte wählen am Sonntag KPD

Friedrich Dietz
Stadtrat
Bundestagskandidat der KPD
im Wahlkreis Karlsruhe-Stadt

Berthold Riedinger
Stadtrat und Bürgermeister a. D.
Bundestagskandidat der KPD
im Wahlkreis Karlsruhe-Land

Der Arbeiterfeind und Kriegskanzler Adenauer muß gestürzt werden!

Alle Werktätigen wählen Liste 4

F. K. H. Dietz verfaßte Flugblätter und druckte sie auf einer Maschine, die in Privaträumen in Durlach stand. Es halfen immer mehrere Leute, auch ich konnte den Apparat bedienen. Die numerierten Seiten, es war nicht nur ein Blatt, wurden geklammert und später insbesondere vor Betrieben verteilt. An den Inhalt der Flugblätter kann ich mich kaum erinnern. Sie befaßten sich mit den Problemen der Arbeiter, aber auch mit den Prozessen, die insbesondere gegen Funktionäre der KPD geführt wurden.

Die Druckmaschine, diese lärmende Schreckensmaschine, stellte er für einige Zeit in seinem Büro in unserer Wohnung auf. Das war ein Alptraum für mich. Ständig kamen und gingen Leute. Mein Haushalt, der sich sowieso von einem gutbürgerlichen unterschied, geriet völlig außer Kontrolle. Zusätzlich beschwerte sich der Hauseigentümer, den ich beruhigen sollte.

Ein kleiner Trost war eine nette Bekanntschaft, die ich in dieser Zeit machte. Während der Prozesse hielt sich ein Journalist, den mein Mann mir vorgestellt hatte, in Karlsruhe auf und verfolgte die Gerichtsverhandlungen. Er gehörte zum linken Flügel der SPD und war mir sofort sympathisch. Wir trafen uns einige Male in einem Café oder in einer Gaststätte. Seinen Namen habe ich vergessen, ihn anscheinend nicht, weil ich mich heute wieder genau an ihn erinnere und auch noch weiß, daß er gut aussah. Mein Mann verstand sich gut mit ihm, obwohl ihre politischern Ansichten auseinandergingen. Ich mußte immer wieder feststellen, daß für Friedrich keine andere Partei in Frage kam.

Einmal brauchte mein Mann für seine Flugblätter, die er sehr wirkungsvoll gestaltete, Stoff aus einem Karlsruher Betrieb. Er kam auf die Idee, mich dorthin zu schicken, und hatte auch schon einen Plan. Es sollte bei Gritzner in Durlach vor Arbeitsbeginn eine Betriebsversammlung stattfinden. Es handelte sich um Lohnforderungen und innerbetriebliche Angelegenheiten. Alle Arbeiterinnen und Arbeiter sollten sich in einer Halle treffen, und verschiedene Redner aus Betrieb, Industrie und Gewerkschaft waren angemeldet. An der Versammlung konnten nur Betriebsangehörige teilnehmen. Deshalb

Parteiveranstaltung mit F. K. H. Dietz

wollte er mich mit dem Auto in die Nähe des Betriebes bringen. Ich sollte mich dann unter die Arbeiterinnen mischen, so der Versammlung beiwohnen und ihm danach Bericht erstatten. Ich fand das ganz abenteuerlich und war einverstanden.

Allerdings hatte ich etwas Herzklopfen, als ich mich mit der Masse in die große Halle schieben ließ. Da die Arbeiterinnen aus verschiedenen Abteilungen kamen, kannten sich nicht alle, und so fiel ich nicht besonders auf. Leider konnte ich mir keine Notizen machen. Das tat niemand. Und deshalb behielt ich nicht viel. Einige Informationen konnte ich trotzdem für die Flugblätter mitbringen. Viele waren später erstaunt, daß F. K. H. Dietz so rasch Kenntnis davon erhalten hatte!

Riedinger, der nicht mehr Bürgermeister war, lebte nun als Pensionär. Da er als ehemaliger Bürgermeister eine gute Pension bezog, kaufte er sich ein Auto. Allerdings fehlte ihm noch der Führerschein, und das brachte mich auf eine gute Idee.

Eine Fahrt durch Jugoslawien

1955/56 reduzierten sich die Aktivitäten der linken Parteien bzw. Organisationen. Es tat sich nicht viel. Allerdings hatte sich der Wiederaufbau in der Stadt sehr entwickelt. Die Trümmer waren beseitigt. Doch es wurden immer wieder gefährliche Bomben, die entschärft werden mußten, gefunden.

In der Kaiserstraße, wo vorher große Kaufhäuser gestanden hatten, gab es Bretterbuden. Fast allen Zeitzeugen sind die vielen Krawatten, die dort angeboten wurden, in Erinnerung geblieben. Und es gab noch Stangeneis zur Versorgung der Kühlschränke, die damals noch nicht elektrisch betrieben wurden. Straßenkehrer mit großen schubkarrenähnlichen Wagen hielten die Straßen rein. Es gab noch Pferdefuhrwerke, die auch die Kaiserstraße passierten und ihre »Pferdeäpfel« hinterließen. Die Mode wurde wieder interessanter. Der Petticoat kam auf, und meine kleine Tochter führte damals Kinderkleider mit Petticoats in einer Modeschau mit auf. Dafür bekam sie zwei Osterhasen und war sehr stolz.

Neu waren auch die Kabinenroller, die die Weihnachtsmänner der studentischen Hilfsorganisation »Hilf-fix« bereits seit 1953 benutzten.

Das neue Jahr 1956 brachte starken Frost. Wegen Kohlenmangels mußten die Schulen vom 12. Februar bis 5. März 1956 zur Freude der Schüler geschlossen bleiben. Und im Frühjahr 1956, nach diesem strengen Winter, hielt es mich nicht mehr in Karlsruhe. Ich wollte einmal raus, weg von der Politik, aus dem Alltag heraus und vielleicht auch aus Deutschland. Warum mir gerade Jugoslawien einfiel, weiß ich nicht mehr.

Da ich ja meinen Mann von der Notwendigkeit einer Reise überzeugen mußte, dachte ich mir wahrscheinlich, daß ein halbwegs sozialistisches Land bei ihm sicher eher zieht als irgendein Reiseziel in einem kapitalistischen Land. Er hatte die Möglichkeit, ein Jugoslawien unter Tito kennenzulernen. Tito, der allen als Partisan und Held im Kampf gegen die deutsche Besatzung bekannt war, war 1945 Ministerpräsident geworden. Nach dem Einmarsch der sowjetischen Truppen 1944 wurde 1945 die Föderative Volksrepublik Jugoslawien ausgerufen. Nach Jugoslawiens eigenständiger Politik kam es zum Bruch mit der UdSSR und zum Ausschluß Jugoslawiens aus dem Kominform. (Kominform = Informationsbüro der Kommunistischen und Arbeiterparteien. Wurde 1956 aufgelöst). Danach betrieb Tito eine Politik der Blockfreiheit. 1954 konnte der Konflikt mit Italien wegen Triest beigelegt werden. 1955 erfolgte die Aussöhnung mit der UdSSR. Trotzdem kam es weiterhin zu Spannungen, da Jugoslawien einen eigenen Weg zum Sozialismus einschlug. So etwa stellte sich die politische Situation in Jugoslawien dar, und dadurch ging meine Rechnung auf. Beide, Berthold Riedinger und F. K. H. Dietz, interessierten sich natürlich für den Weg zum Sozialismus, den Tito eingeschlagen hatte. Das bedeutete für mich wieder politisches Engagement der beiden in Jugoslawien. Aber das mußte ich in Kauf nehmen.

Die Vorbereitungen, die getroffen wurden, nahmen einige Zeit in Anspruch. Riedinger besaß einen kleinen Fiat-Kombi, der zwar keinen starken Motor hatte, dafür aber neu war. Es gab auch genügend Platz. Mein Mann wollte für uns ein Zelt mitnehmen, Riedinger zog es vor, im Wagen zu übernachten. Wir wußten ja nicht, welche Möglichkeiten, Hotels oder Pensionen es für Touristen gab. Außerdem fanden beide, zelten und im Freien kampieren interessanter. Obwohl ich diese Meinung nicht teilte, hielt ich mich zurück.

Riedingers Ehefrau Helene winkte gleich ab, als sie von unseren Plänen hörte. Sie blieb lieber zu Hause. Dafür waren wir ihr auch dankbar, denn mit ihr hätte der Platz kaum gereicht. Helene war ein »Riesenweib« und ungeheuer kräftig. Sie stammte aus einer Familie von Boxsportlern, und es gab Leute, die es nicht wagten, sich mit ihr anzulegen.

Friedrich organisierte fast alles. Er kaufte ein Zelt, Schlafsäcke, einen Spirituskocher, Kochtöpfe, Konserven und andere Lebensmittel, weil wir nicht wußten, was es unterwegs zu kaufen geben würde. Unsere Tochter brachten wir zu ihrer Großmutter nach Oberndorf, die sich darüber sehr freute. Der Schäferhund kam zu Bekannten nach Karlsruhe, weil die Oma eine Katze hatte.

Als alles geregelt war, fuhren wir schließlich im Hochsommer los. Ich hatte eine Furunkulose und starke Beschwerden, aber ich biß die Zähne zusammen. Unter allen Umständen wollte ich mit dabeisein.

Friedrich war zu sehr damit beschäftigt, Vorbereitungen für die Jugoslawienreise zu treffen und eine Vertretung in seiner Arbeit für die Zeit seiner Abwesenheit zu finden, als daß er mein schlechtes Befinden bemerkt hatte. Er schlug mir vor, lieber in Karlsruhe zu bleiben, damit ich in ärztlicher Betreuung bleiben konnte. An eine Verschiebung der Reise, deren Anstoß ich ja gegeben hatte, dachte er überhaupt nicht. Ich packte schließlich ausreichend Salben und Pflaster ein, um mich selbst verarzten zu können.

Als es endlich soweit war, waren wir alle am Ende unserer Kräfte, aber in guter Stimmung. Über Triest, wo wir uns kurz aufhielten und wo ich gerne noch viel länger geblieben wäre, kamen wir nach Ljubljana (Laibach), wo wir außerhalb des Ortes zum ersten Mal unser Zelt aufschlugen. Es gab keine Zeltplätze, und so kampierten wir in der Nähe eines Baches und einer Quelle. An der Quelle holten wir Wasser für das Frühstück, und im Bach konnten wir uns waschen. Es gab dort klares Wasser. Durch unsere Seife angelockt, kamen eine Unmenge ganz kleiner Fische. Die taten uns nichts, doch auf dem Rückweg zu Zelt und Wagen begegneten uns zwei große Schlangen. Da wir nicht wußten, ob sie gefährlich waren und ob es viele davon gab, brachen wir unsere Rast schneller ab, als wir vorhatten.

Die Fahrt ging weiter nach Zagreb. Dort versuchten Riedinger und Friedrich mit Gewerkschaftsfunktionären Verbindung zu bekommen, was ihnen auch gelang. Riedinger, als ehemaliger Bürgermeister der KPD, und Friedrich, als 1. Sekretär der KPD Karlsruhe, fanden sehr rasch Kontakte. Wir blieben einige Tage in Zagreb und lernten auch Familienangehörige der Gewerkschafter kennen. Sie bewohnten sehr kleine, aber recht nette Wohnungen. Die Gewerkschaften dort hatten, soweit ich es beurteilen konnte, wenig Ähnlichkeit mit unseren Gewerkschaften. Dort waren sie fest in die Partei eingebunden. Berthold Riedinger und F. K. H. entwickelten Pläne bezüglich einer späteren Zusammenarbeit mit den jugoslawischen »Genossen«.

Weiter ging es nach Belgrad. Dorthin gab es eine Autostraße, die recht gut ausgebaut war. Für Belgrad hatten meine Begleiter Empfehlungsschreiben von den Zagreber Freunden dabei. Wir bekamen Quartier in einem Gewerkschaftshaus. Dort wurden auch auswärtige Funktionäre zum Übernachten untergebracht. Ich lebte direkt auf in dieser »Art Hotel« und hoffte auf Regen, denn dann konnten wir nicht zelten. Nachdem der Kontakt mit der Belgrader Gewerkschaft hergestellt war, ließen wir uns Zeit, die Stadt zu erobern, was sich auch wirklich lohnte.

Unser nächstes Ziel war Sarajewo. Auch dorthin führte eine gute Straße. Ich betone es deshalb, weil die meisten Straßen in einem miserablen Zustand waren. Von Sarajewo war ich sofort begeistert. Die Stadt war atemberaubend. Menschen aus den verschiedensten Kulturen lebten auf engstem Raum zusammen. Die Moslems zeigten stolz ihre wunderschönen Moscheen. Ich durfte eine davon mit Kopfbedeckung und ohne Schuhe betreten. Am Nachmittag sahen wir viele Menschen, aber vor der Moschee nur Männer. Es war schrecklich heiß. Auf einem Podest stand ein Sarg, um den sich die Männer versammelt hatten. Frauen durften nicht in die Nähe kommen. In der Moschee wurde für den Verstorbenen gebetet. Dann trugen die Verwandten und Freunde den Sarg zu einem entfernten Friedhof. In Sarajewo fanden wir auch den Fußabdruck des Mörder des österreichischen Thronfolgerpaares auf dem Bürgersteig, der Mord, der den Auftakt zum Beginn des Ersten Weltkriegs gab.

Wir konnten uns in Jugoslawien ganz gut ernähren. Es gab ausreichend Gemüse und Obst. Fleisch zu bekommen, war problematisch.

Halbe Rinder und Lämmer hingen in den nicht gekühlten Schaufenstern und waren übersät mit Fliegen. Aber das schien niemand zu stören. Es wurde wenig Fleisch gekauft, weil es viel teurer als Gemüse war. Unterwegs auf unserer Fahrt kochten wir oft Gemüseeintöpfe im Freien. Frisches Wasser hatten wir in Kanistern immer dabei.

Auf unseren Fahrten durch das Land fanden wir einen uralten Friedhof mit schönen Grabsteinen. Diese Steine waren so heiß, daß man Spiegeleier darauf hätte backen können. Ziegen grasten um die Steine herum. Oft mußten wir anhalten, wenn Viehherden auf der Straße liefen oder über Straßen getrieben wurden. Einmal kam uns auf einem ansteigenden Weg eine junge Frau, beladen mit Gepäck, entgegen. Nebenher liefen kleine Kinder. Und hinterher ritt ihr Mann, der Pascha, auf seinem Esel!

Ein anderes Mal kamen wir im Innern des Landes an Hütten vorbei. Davor saßen moslemische Frauen. Hier war es weniger heiß. Sie hielten uns an. Wir hatten ein neues westliches Auto, und das kannten sie nicht. Ein kleiner Junge wagte es nicht einmal, sich hineinzusetzen. Er war noch nie Auto gefahren. Eine uralte Frau forderte uns auf, mit ihr in die Hütte zu kommen. Sie trug ein schönes langes Gewand und viel Schmuck, Ringe und Ketten, die glänzten und klirrten. In den kleinen Räumen sah es fast herrschaftlich aus. Wände und Böden waren mit Teppichen ausgestattet. Die Sitzmöbel waren ganz niedrig, ebenso der Tisch. Sie bot uns Ziegenmilch an, und es wäre eine Beleidigung gewesen, wenn wir abgelehnt hätten. Da ich keine Milch trinke und mich vor Ziegenmilch ekele, tauschte ich rasch meinen Becher mit Berthold R., der schon ausgetrunken hatte.

In Jugoslawien gab es sehr gute Zigaretten. Da wir damals alle drei rauchten, half unser Rauch, die Insekten zu vertreiben.

Unsere letzte größere Stadt war Dubrovnik. Dort haben wir uns richtig ausgeruht, das Meer, die Landschaft und die Ruhe genossen. Nach etwa vier Wochen traten wir die Rückreise an. Berthold und mein Mann wollten noch eine gemeinsame Bekannte in Davos besuchen. Während der ganzen Jugoslawienfahrt hatten wir keine Gelegenheit gehabt, deutsche Zeitungen zu kaufen. Die Nachrichten im Radio verstanden wir nicht. Die Dame in Davos bezog nur eine Wochenzeitung, die noch nicht da war. Also wußten wir vier Wochen lang nicht, was sich inzwischen ereignet hatte. Von Davos machten wir einen Abstecher nach Zürich. Ich besuchte dort meine ehemalige Lagerleiterin Charlotte Weber. Diese erzählte mir etwas von einem Parteiverbot in Deutschland, aber sie wußte nichts Genaueres. Sie sagte: »Es soll gestern passiert sein.« Ich wollte nichts wissen und gab ihr zu verstehen, daß ich alles in Deutschland früh genug erfahren würde, zur Zeit befand ich mich noch im Urlaub, und die Politik konnte warten. Von Zürich fuhren wir direkt nach Oberndorf, um unsere Tochter abzuholen.

Bevor wir unsere Reise nach Karlsruhe fortsetzen wollten, suchten wir eine Gaststätte auf, um dort zu Abend zu essen. Im Lokal lagen Zeitungen, und Berthold und Friedrich griffen natürlich sofort danach. Gleich auf der ersten Seite stand: »Verbot der KPD, Hausdurchsuchungen bei Funktionären. Verhaftungen von Verdächtigen, Beschlagnahmung von Material, Maschinen, Autos und Parteivermögen.« Das traf uns alle wie ein Donnerschlag.

Verbot der Kommunistischen Partei

Berthold und Friedrich war der Appetit gründlich vergangen. Sie beratschlagten, was nun zu unternehmen sei. Nach Karlsruhe mußten wir zurück. Dort vermutete man, vielleicht auf beiden Seiten, daß sich Riedinger und Dietz abgesetzt hätten. Wir waren sicher, daß ihnen niemand glauben würde, von dem Parteiverbot nichts gewußt zu haben. Für mich kam dieses Verbot völlig überraschend. Viel später erfuhr ich von Parteimitgliedern, daß man ein solches Verbot für immer wahrscheinlicher gehalten habe. Den genauen Zeitpunkt des Verbotes jedoch hatte niemand voraussehen können.

Ich bin sicher, daß in diesem Falle weder Riedinger noch mein Mann diese Reise unternommen hätten. Am liebsten hätte ich unsere Tochter noch bei der Oma gelassen, aber sie wollte mit uns fahren. Das war nun das Ende unserer schönen und ereignisreichen Reise in die Ferne. Alles war überschattet von der Realität, die es jetzt zu bewältigen galt. Da wir spät in Oberndorf angekommen waren, gingen wir sofort in ein Restaurant. Als sich dort meine Begleiter sofort in die Zeitungen vertieften, hoffte ich, mich mit der Oma über meine Tochter und ihre gemeinsame Zeit in Oberndorf unterhalten zu können. Aber dazu kam es gar nicht. Mir war elend zumute. Was kam jetzt wieder auf uns zu? Für uns war das Parteiverbot auch mit unserer Existenz verbunden. Mein Mann erhielt als Sekretär der KPD ein Gehalt, das zwar gering war, aber unseren Lebensunterhalt knapp sicherte. Wie würde es jetzt weitergehen?

Wir fuhren nach Karlsruhe. Es war stockfinster, als wir ankamen. Mein Mann drehte einige Runden an unseren Wohnungen vorbei. Er wollte sicher sein, daß die Häuser nicht überwacht würden, um ihn und Riedinger bei ihrer Ankunft zu verhaften. Das Kind wurde müde und fing zu quengeln an. Es hatte Durst und wollte schlafen.

Endlich entschloß sich mein Mann, an Riedingers Wohnung anzuhalten. Dort saßen einige Freunde von Helene vor dem Fernsehgerät. Damals besaßen erst sehr wenige Familien ein Fernsehgerät. Man traf sich deshalb bei Bekannten, die schon ein Gerät hatten. Das war gleichzeitig ein geselliges Beisammensein mit Gebäck und Getränken. Wir erfuhren, daß es mehrere Hausdurchsuchungen und Beschlagnahmungen gegeben hatte.

Auch Riedinger blieb nicht verschont. In seiner Abwesenheit hatten zwei Beamte seine Wohnung durchsucht, aber nichts gefunden. Helene wußte nicht, wonach sie gesucht hatten. Verhaftungen in Karlsruhe waren nicht bekannt. Danach fuhr Friedrich nach Hause. Er befürchtete, daß die Wohnung möglicherweise bereits amtlich gewaltsam geöffnet und wieder versiegelt worden sei. Aber auch das war nicht der Fall. Wir waren so erschöpft, daß wir den Wagen mit Gepäck vor dem Haus stehenließen und uns vorerst einmal ausschlafen wollten.

Der Abend ab Oberndorf war wieder ein Trauma für mich. In derselben Weise waren wir während der Nazizeit in Berlin um unsere Wohnungen geschlichen, weil wir Verhaftungen befürchteten. Insbesondere wenn man nach der Verordnung der Judensterne die beschränkten Ausgangszeiten nicht eingehalten hatte oder den Stern nicht trug. Natürlich war das 1956 keine lebensbedrohende Angelegenheit, aber doch nervenaufreibend. Und ich hatte das Pech, wieder mitbetroffen zu sein! Wir wurden von der Kripo einbestellt und natürlich getrennt verhört. Ich nur zu meinen persönlichen Verhältnissen und zu einem Gebrauchtwagen, den ich aus Geldern der Wiedergutmachung erstanden hatte, den mein Mann aber benutzte. Sie hielten mich stundenlang fest.

Das Verbot der KPD bereitete mir keinen großen Kummer. Im Gegenteil, ich hoffte, mein Mann hätte jetzt mehr Zeit, und dachte, er würde sich wieder auf den Journalismus besinnen, was er auch manchmal tat. Aber das Verbot der KPD bedeutete für ihn einen gewaltigen Einschnitt in sein bisheriges Leben. Er hatte für seine Überzeugung in deutschen Konzentrationslagern gesessen. In der

Schweiz war er inhaftiert worden, weil er sich über das Verbot hinweggesetzt hatte, sich politisch zu betätigen. Und jetzt, nach kaum zehn Jahren politischer Arbeit in der BRD, stand er vor den Trümmern all seiner Bemühungen. Er verkraftete das nur sehr schwer, aber er sprach nicht darüber.

Nach dem Parteiverbot ruhte die politische Arbeit. Genossen, die einen Arbeitsplatz hatten, auch außerhalb einer Behörde, wurden vorsichtiger. Anwärter für öffentliche Dienststellen mußten einen Amtseid ablegen und schwören, daß sie keiner verbotenen Organisation angehören oder angehört haben. Zu den verbotenen Organisationen gehörte auch die VVN (Vereinigung der Verfolgten des Naziregimes), was ich überhaupt nicht verstand. Das erste Mal fühlte ich eine gewisse Solidarität mit der KPD, obwohl ich nicht Mitglied war. Ich fand, daß ein demokratischer Staat wie die Bundesrepublik Deutschland es sich leisten könnte, eine so kleine Partei wie die KPD zu tolerieren.

Auch die Bevölkerung sprach sich teilweise gegen das Verbot aus, aber es entstand keine regierungsfeindliche Stimmung. Und so ging der Sommer zu Ende. Wir ahnten nicht, daß ein heißer Herbst, wenn auch nicht in der BRD, bevorstand.

Der Ungarnaufstand

Während unserer Ferien in Jugoslawien hatte Friedrich überlegt, ob wir einen Abstecher nach Ungarn machen sollten. Da wir aber keine Visa hatten, verwarfen wir diesen Plan.

Daran dachte ich wieder, als im Oktober 1956, kurz nach dem Parteiverbot in Ungarn, ein Aufstand losbrach. Es gab Straßenschlachten zwischen Studenten, Arbeitern und von der Regierung zur Hilfe gerufenen sowjetischen Truppen. Es wurde der Rücktritt des 1. Sekretärs der KP-Ungarn Ernoe Geroe verlangt und eine neue Regierung unter Imre Nagy gefordert, obwohl Nagy auch Kommunist war. János Kadár, Ministerpräsident und Parteichef, war einverstanden. Ein ungarischer Oberst führte die Kämpfe gegen die sowjetischen Soldaten. Kardinal Joszef Mindszenty, eine Zentralfigur der ungarischen katholischen Kirche, war während der kommunistischen Herrschaft von 1949 bis 1956 in Haft gewesen. Die Rückkehr in seine Ämter wurde gefordert und zugesagt. Imre Nagy, von 1953 bis 1955 Ministerpräsident, versuchte, wirtschaftliche und politische Reformen durchzusetzen. Während des Aufstandes 1956 wurde er wieder Ministerpräsident. Von den Ereignissen nach der militärischen Intervention durch die sowjetischen Truppen gab es unterschiedliche Darstellungen. Mir wurde berichtet, daß Nagy zu Verhandlungen bereit gewesen sein soll, man ihm freies Geleit zugesagt, ihn aber dann erschossen habe.

Damals war ich entsetzt, daß eine Vereinbarung zwischen zwei Staaten gebrochen wurde. Ich sprach auch mit meinem Mann darüber, den die Vorgänge sehr deprimierten. Ich hatte den Glauben an die Loyalität des Ostens verloren. Eine Umstellung für mich war natürlich viel leichter als für überzeugte KP-Genossen, die die Kommunisten in Ungarn und in der Sowjetunion anders beurteilten.

Viel später erfuhr ich, daß Imre Nagy nach Rumänien deportiert und nach einem geheimen Prozeß 1958 hingerichtet wurde. Kardinal Mindszenty konnte in die amerikanische Botschaft in Budapest fliehen.

Mir war klar, daß die Vorgänge in Ungarn auch in der Bundesrepublik, insbesondere was die Kommunisten betraf, ihre Auswirkungen haben würden. Das Parteiverbot, das zuerst nur von einem Teil der Bevölkerung verurteilt worden war, sah man plötzlich mit anderen Augen. Wieder, wie 1953 in Berlin, hatte die Sowjetunion den Aufstand, diesmal eines »Brudervolkes«, mit Panzern niedergewalzt.

Die Kommunistische Partei wurde automatisch ideologisch dem Osten zugeordnet. Man spürte eine Gefahr, und man wollte in nichts mehr hineingezogen werden. Der Schock des verlorenen Krieges, der Naziherrschaft und deren Verbrechen, die Besatzungsmächte, mit denen man sich inzwischen arrangiert hatte, fast alles wurde verdrängt. Die Menschen wollten wieder leben, arbeiten, sich eine neue Existenz schaffen. Ein Großteil wollte von Politik nichts mehr wissen.

Der Ungarnaufstand machte viele betroffen. Nach diesem Aufstand, der so schnell von den Sowjets beendet wurde, änderte sich in Ungarn nichts. Es war auch vorauszusehen, denn die kommunistische Partei der Sowjetunion hatte kein Interesse daran, einen ihrer Satelliten zu verlieren. Jugoslawien mit seiner eigenwilligen Politik unter Tito genügte ihnen.

Durch diese Ereignisse, die die Welt in Atem hielten, wurde das Parteiverbot der KPD fast vergessen. Doch für mich war der Ungarnaufstand, insbesondere die Ermordung von Imre Nagy, ein Wendepunkt in meinem politischen Denken, obwohl ich zu diesem Zeitpunkt in keiner Richtung politisch gefestigt war.

F. K. H. Dietz ohne die KPD

Das Parteiverbot hatte meinen Mann natürlich stark getroffen. Seine gesamten Aktivitäten waren lahmgelegt. Sein Einsatz für die Kommunistische Partei, den er fast mit seinem Leben bezahlt hatte, schien umsonst gewesen zu sein. Mit diesen Problemen mußte er alleine fertig werden. Er hielt sich viel mehr als früher zu Hause auf, was auch eine Umstellung für mich bedeutete.

Ein Bekannter von ihm, ebenfalls ein Journalist, der damals für die ADN (Allgemeiner Deutscher Nachrichtendienst, DDR) arbeitete, verschaffte ihm manchmal einen kleinen Auftrag als Journalist. Später erzählte mir R., Friedrich habe sich mit dem Gedanken getragen, eine eigene Partei zu gründen. Das zeigt aber auch, daß er etwas anderes wollte, denn dieser Gedanke kam ihm sicher nicht erst unmittelbar nach dem Parteiverbot.

Mein Mann beschäftigte sich weiterhin mit Kommunalpolitik und war an der Entwicklung der Stadt und ihrem Wiederaufbau stark interessiert. Auch darüber schrieb er. Häufig bat er mich, mit den zuständigen städtischen Ämtern zu telefonieren, um seine Informationen zu belegen. Einmal, Anfang 1957, als er einen Artikel über die sozialen Einrichtungen der Stadt schrieb, mußte ich recherchieren, wieviel Säuglingskrippen, Kindertagesstätten, Kindergärten und Schülerhorte die Stadt damals hatte. Bei dieser Gelegenheit stellte ich fest, daß zwei neue Schülerhorte eröffnet werden sollten. Ich überlegte mir, ob dies nicht eine Chance für mich wäre, wieder berufstätig zu werden.

In Berlin hatte ich noch 1940 das Staatsexamen als Kindergärtnerin und Hortnerin, allerdings am Jüdischen Seminar für Kindergärtnerinnen und Hortnerinnen, ablegen können. Friedrich fand die Idee nicht schlecht. Die Stellen wurden bei der Stadt ausgeschrieben, und ich bewarb mich. In dieser Zeit lebten wir weitgehend von kleinen Rücklagen aus der Wiedergutmachung und von den seltenen Honoraren meines Mannes. Mein Entschluß, wieder zu arbeiten, war nicht nur eine Laune, sondern eine dringende Notwendigkeit, um unsere Existenz zu sichern.

Die Ausbildung, die ich noch in Berlin erhalten hatte, war einzigartig. Sie fiel in die Zeit, in der schon viele jüdische Schulen, insbesondere Gymnasien, in Berlin schließen mußten. Mehrere jüdische Professoren und Studienräte, die nicht mehr auswandern konnten und sich noch beruflich betätigen wollten, kamen ehrenamtlich in das Kindergärtnerinnen-Seminar, um uns zu unterrichten. Wir hatten hervorragende Kräfte für zusätzlichen Unterricht in Psychologie, Literatur, Geographie und Geschichte. Der Unterricht in Jugendliteratur wurde in englischer Sprache erteilt. Dadurch wurde unser Allgemeinwissen gefestigt und abgerundet. Die Lehrkräfte sahen noch einen Sinn in dieser Aufgabe. Das einzige Gut, das man damals der Jugend mitgeben konnte, war Wissen. Somit hatten wir fast einen Unterricht wie Abiturienten und gleichzeitig den Abschluß als staatlich geprüfte Kindergärtnerinnen und Hortnerinnen.

Was fast unglaublich klingt, aber belegt ist: 1940 wurde die Urkunde für die jüdischen Schülerinnen vom Staatlichen Prüfungsausschuß von einem »arischen« Schulrat unterzeichnet und mit einem Hakenkreuzstempel versehen. Das Zeugnis konnte ich retten und bei meiner Bewerbung vorlegen. Sehr bald kam die Antwort.

Meine Bewerbung wurde mit der Begründung abgelehnt, daß meine Ausbildung für eine Mitarbeit in deutschen Kindergärten und Schülerhorten nicht ausreiche. Mit dieser Ablehnung wollten wir uns nicht zufrieden geben. Mein Mann antwortete der Behörde und unterbreitete den Fall Oberbürgermeister Klotz, den er durch seine Tätigkeit als Stadtrat gut kannte. Wir vermuteten, daß es damals eine ausschlaggebende Rolle spielte, keiner der beiden christlichen Religionen anzuhören. Dazu kam die politische Vergangenheit meines Mannes. Ich war schockiert, in Deutschland schon wieder vor beruflichen Schwierigkeiten zu stehen.

Nun wollte ich aber versuchen, diesen Kampf aufzunehmen. Unser größter Gegner war Herr Eck, Direktor des Jugendamtes. Dieser hatte nie ein gutes Verhältnis zu Friedrich. Er setzte alle Hebel in Bewegung, um die von ihm vorgeschlagenen Bewerberinnen durchzubringen. Durch die Intervention von Oberbürgermeister Klotz wurde ich schließlich zum 1. November 1957 dennoch eingestellt.

Im gleichen Jahr, an Ostern 1957, wurde unsere Tochter eingeschult. Friedrich, der schon lange aus der Kirche ausgetreten war, wollte sie in keinen Religionsunterricht schicken. Ich war zwar nicht ausgetreten, hatte aber zu dem religiösen und kulturellen Leben der Jüdischen Gemeinde keinen Kontakt mehr. Außerdem war ich nicht interessiert daran, meine Tochter in dasselbe Abseits zu stoßen, in dem ich damals leben mußte. Mein Mann bestand aber darauf, daß sie keinen Religionsunterricht besuchen sollte, und dadurch war sie wieder gebrandmarkt, wenn auch auf andere Art. Dieser Fehler kam mir später erst richtig zu Bewußtsein und belastete mich sehr.

Als mein Mann nicht mehr lebte, schickte ich unsere Tochter in den freireligiösen Religionsunterricht, den eine mir bekannte christliche Lehrerin erteilte. Aber sie ging sehr bald nicht mehr hin, weil die anderen Schüler meist jünger waren und sie nicht gefordert wurde. Mir war es wichtig, daß sie im Zeugnis eine Note in Religion bekam, doch ihr war es zu langweilig. Nun wollte ich mich anpassen, sie aber nicht.

Im letzten Sommer vor meiner Arbeitsaufnahme machten wir schöne Fahrten mit dem Auto. Ich war etwas besorgt, was in einem deutschen Schülerhort auf mich zukommen würde.

Friedrich, der seine sporadischen journalistischen Aufträge weitgehend in seinem Büro in unserer Wohnung erledigen konnte, wollte die Tochter versorgen wenn mein »Berufsleben« anfing.

Die Karlsruher Schülerhorte

Der 1. November 1957 war wie jedes Jahr ein Feiertag. Mein Berufsleben in Karlsruhe fing am 2. November 1957 an. Der erste Schülerhort, dem ich zugeteilt wurde, befand sich in Knielingen. Leiterin war Frau Weis, eine sehr nette Frau mittleren Alters.

Für mich war es von großem Vorteil, daß ich in einem kleinen Schülerhort beginnen konnte. So hatte ich Gelegenheit, die Mentalität der deutschen Nachkriegsjugend besser kennenzulernen. Das Alter der Kinder lag zwischen sechs und vierzehn Jahren.

Ich merkte sehr bald, daß die Arbeit mit diesen Kindern in der Bundesrepublik kaum mit der Arbeit mit den jüdischen und halbarischen Kindern während des Krieges verglichen werden konnte. Meine neue Arbeit war einfacher, weil die Kinder unter »normalen« Bedingungen aufwuchsen, ohne den ständigen Druck von außen. Sie waren nicht verängstigt und nicht verstört. Auch die eigenen Ängste fielen weg. Man verbrauchte weniger innere Kraft.

Mit meinen Berliner Kindern war ich durch eine Art Schicksalsgemeinschaft verbunden gewesen. Was ihnen heute passierte, das konnte sich bei mir morgen ereignen. Wir hatten damals auch weitgehend psychotherapeutische Aufgaben und dadurch natürlich ein ganz anderes inneres Verhältnis zu jedem einzelnen Kind. Die Kinder, die ich jetzt zu betreuen hatte, waren weniger sensibel und leichter zu behandeln. Frau Weis ließ mir Zeit, mich einzuarbeiten.

Leider wurde ich sehr bald in einen anderen Schülerhort nach Durlach-Weiherhof versetzt. Dort merkte ich rasch, daß man mich sehr kritisch beobachtete. Die dortige Leiterin, ebenfalls eine Frau mittleren Alters, stellte mir Aufgaben, die sie dann beurteilte. In Knielingen hatte ich etwas Ähnliches nicht bemerkt.

Doch durch die Behandlung in Durlach fiel mir nachträglich eine

Begebenheit ein, der ich damals keine Bedeutung beigemessen hatte. Ich kannte eben die deutschen Behörden nicht. Vermutlich hatten die Hortleiterinnen von ihrem Vorgesetzten im Jugendamt Anweisung, meine Arbeitsweise zu beobachten. Wahrscheinlich sollte festgestellt werden, daß ich doch nicht geeignet wäre. In dieser Zeit spielte meine Tochter manchmal mit einem kleinen amerikanischen Mädchen, das gegenüber wohnte. Die Amerikanerin schenkte ihr eine Menge Comic-Hefte in englischer Sprache. Im Schülerhort Knielingen malten die Kinder oft mit Wasserfarben, wofür wir sehr wenig Unterlagen hatten. Da kam mir die Idee, einen Teil der Comic-Hefte mitzubringen und als Unterlagen zu benutzen. Ich wußte, daß damals die deutschen Kinder keine derartigen Hefte lesen sollten. Diese Weisung gab es ohne Begründung. Da diese Hefte in englischer Sprache und die Bilder in keiner Weise anstößig waren, dachte ich, daß sie ihren Zweck als Unterlagen erfüllen würden.

Die Schüler im Knielinger Hort hatten keinen Englisch-Unterricht, da alle die Grund- oder Hauptschule besuchten. Nun nahm aber einer der älteren Schüler einige Comic-Hefte mit nach Hause. Aus dieser Begebenheit machte man fast einen Kriminalfall. Die Comic-Hefte galten als minderwertig, nicht geeignet für deutsche Schüler. Das war mir bekannt, doch ich war damit nicht einverstanden. Nicht nur in unserem Hort tauchten die Comics auf. Viele Hortnerinnen suchten sofort danach, wenn sie einen Verdacht hatten. In meinem Fall wurde das Jugendamt verständigt, ich bekam eine Einbestellung und wurde verwarnt. Viel später, als ich bei der Sozial- und Jugendbehörde arbeitete und im Personalrat war, konnte ich meine Personalakte einsehen. Darin fand ich einen ausführlichen Bericht über diesen Vorfall samt Verwarnung.

Der Schülerhort in Durlach war viel größer und die Kinder wesentlich wilder und undisziplinierter als an meiner ersten Arbeitsstelle. Sie gingen oft aufeinander los, auch damals schon mit Messern, was in Knielingen nie vorkam. Sie stammten teilweise aus einem schwierigen Milieu, beide Elternteile waren berufstätig, meist in Fabriken. Da wir zuwenig Kräfte für die Hortkinder hatten, fehlte die

Zeit, und manches Kind konnte nicht die Betreuung finden, die es gebraucht hätte.

Ich kam kurz vor Weihnachten nach Durlach. Es war üblich, Geschenke für die Eltern zu basteln. Die Hortnerinnen stellten ein bestimmtes Programm zusammen und hatten auch das Material dazu. Die Kinder konnten sich aussuchen, was sie für ihre Verwandten herstellen wollten. Sogar Holzarbeiten waren möglich. Mindestens ein oder zwei Teile sollten pro Kind angefertigt werden. Die Hortnerinnen hatten ein Datum festgesetzt. Bis dahin mußten die Kinder fertig sein. In der Freizeit nach den Schularbeiten wurde deshalb weniger gespielt. Besonders die Jungen waren sauer, weil sie bei gutem Wetter in den Hof wollten, um Fußball zu spielen. Ich stellte auch bei dieser Gelegenheit fest, daß im deutschen Schülerhort 1957/58 mehr mit Zwang als mit Freiwilligkeit und Einsicht erreicht wurde.

In den jüdischen Berliner Schülerhorten während des Krieges, in denen ich von Juli 1940 bis Ende August 1942 arbeitete, gab es diese Diskussionen nicht. Für das Chanukkafest, zu dem auch kleine Geschenke üblich waren, konnten wir nichts basteln. Wir hatten kein Material. Dazu kam, daß unsere Kinder keine Lust und keine Geduld mehr dazu hatten. Sie wußten, daß sie in den Osten deportiert werden sollten. Ihre Bastelarbeiten hätten sie sicher zurücklassen müssen.

Das erste Weihnachtsfest im Schülerhort war ein besonders schönes Erlebnis. Auch mit meiner Familie verbrachte ich sehr harmonische Feiertage nach all dem Trubel an meinem Arbeitsplatz. Wir ahnten nicht, daß es die letzten gemeinsamen Weihnachtstage sein sollten.

Reporter in Frankreich, Krankheit und Tod

Nachdem meine dreimonatige Probezeit vorüber war, wurde ich fest als Kindergärtnerin und Hortnerin eingestellt.

Friedrich hatte sich in der Zwischenzeit mit der Umverteilung unserer Rollen abgefunden. Aber er war nicht zufrieden mit seiner Situation. Auch in dieser Phase seines Lebens hat er nie daran gedacht, in die SPD überzuwechseln. Für ihn hätte das Verrat bedeutet. Trotzdem hatte er sich mit dem Gedanken getragen, eine eigene Partei zu gründen. Auch das wäre ihm sicher als Verrat ausgelegt worden. Er hätte Genossen abwerben und für seine Sache gewinnen müssen. Es kam nicht dazu, denn ein anderes Projekt bahnte sich an.

Er erhielt das Angebot, in Frankreich für die französische Presse zu arbeiten. Diese Tätigkeit entsprach seinen Wünschen. Allerdings sollten wir nach Frankreich übersiedeln. Ich freute mich auf die Veränderung, obwohl ich dann meine Arbeit wieder verloren hätte.

Im gleichen Jahr, im Herbst 1958, waren in Frankreich Wahlen. Charles de Gaulle hatte sich für das Amt des Staatspräsidenten aufstellen lassen. Friedrich bekam von zwei oder drei deutschen Zeitungen den Auftrag, den Wahlkampf in Frankreich zu beobachten und seine Berichte telefonisch durchzugeben.

Ende September 1958 verließ er Karlsruhe mit unserem Kleinwagen, einem Lloyd. Er wollte beweglich sein und nahm deshalb die Strapazen einer Autofahrt auf sich. Als er uns verließ, hatte ich nicht den Eindruck, daß er krank war. Er klagte nie. Zuerst fuhr er zu meiner Schwester nach Paris, bei der er wohnen konnte. Dann setzte er seine Reise nach Marseille und Toulon fort.

Ich bekam zwei Briefe, in denen er ausführlich berichtete. Kein Wort über sein persönliches Befinden. Auch von meiner Schwester hörte ich nichts Beunruhigendes. Deshalb war ich entsetzt, als ich ihn nach vier Wochen wiedersah. Er kam zur vorgesehenen Zeit nach Karlsruhe zurück. Als er aus dem Wagen ausstieg, sah ich sofort, daß er krank war. In der Folgezeit nahmen seine Beschwerden zu, die er schon in Frankreich gehabt hatte. Dort hatte er geglaubt, daß der starke Kaffee und Streß die Ursache seien.

Ein EKG, das er machen ließ, fiel so gut aus, daß er danach »seine Genesung« gleich mit Sekt feierte. Doch sein Zustand verschlechterte sich weiterhin ganz rapide. Seine Frankreichpläne mußte er zurückstellen. Er wurde zur Behandlung in das Städtische Krankenhaus (heute Klinikum) überwiesen. Friedrich kam ins Krankenhaus, legte sich ins Bett und stand nicht mehr auf. Er war sicher kein einfacher Patient. Er kämpfte gegen die Krankheit und auch gegen seine Umgebung, zum Beispiel gegen die Schwestern. Er fügte sich nicht jeder Anordnung und er hörte oft Nachrichten und Sendungen mit seinem kleinen Radioapparat, den er dabei hatte. Das störte manchmal die anderen. Es ging ihm von Tag zu Tag schlechter. Die Schwestern kannten die Diagnose: ein Karzinom mit nur noch ganz kurzer Lebenserwartung.

Die Ärzte hatten mir auf meine Bitte etwa Mitte Dezember die volle Wahrheit gesagt. Sie gaben ihm nur noch ein paar Monate, höchstens bis April, und hofften, daß er wieder für einige Zeit nach Hause könnte. Ich wagte nicht, über den April hinaus zu denken.

Es war in der Vorweihnachtszeit 1958. Kirchliche Jugendgruppen kamen in die Krankenzimmer und sangen Weihnachtslieder. Pfarrer der evangelischen und katholischen Gemeinden besuchten die Kranken. Friedrich wollte nichts hören und keinen Pfarrer sehen. Er hielt sich die Ohren zu. Das brachte die Schwestern gegen ihn auf, und sie behandelten ihn dementsprechend. Ich bemerkte das bei meinen Besuchen und überlegte mir, wie ich ihm helfen könnte.

Auch zu Hause verlor er einmal völlig die Nerven. Ich kam von der Arbeit nach Hause und fragte ihn, ob er beim Arzt gewesen sei. Er wurde wütend, schrie, daß er nicht dauernd an seine Krankheit erinnert werden wollte, nahm seine Autoschlüssel, knallte die Türe zu und verschwand. Ich hörte, wie er den Motor anließ und wegfuhr.

Nun saß ich da, überlegte, was ich falsch gemacht hatte, und fürchtete, daß er in diesem Zustand einen Unfall bauen könnte. Endlich, nach zwei Stunden, kam er zurück, erschöpft, aber ruhig.

Bei meinen Überlegungen, wie ich ihm nun im Krankenhaus helfen könnte, die letzten Wochen seines Daseins ohne Aufregungen und in einer gewissen Geborgenheit, ohne Schwierigkeiten mit den Schwestern zu überstehen, fiel mir Oberbürgermeister Klotz ein. Er wußte nichts von der Erkrankung meines Mannes. Sofort versprach er, ihn selbst zu besuchen oder einen Stadtrat zu delegieren. Da er Termine hatte, die Zeit aber drängte, kamen zwei Stadträte, die ihm ein Schreiben des Oberbürgermeisters überbrachten und ein riesengroßes Blumengebinde mit einer Schleife der Stadt Karlsruhe. Nach diesem Besuch änderten die Schwestern ihr Verhalten, und er hatte Ruhe.

Aber es gab auch positive Erlebnisse im Krankenhaus. Die Ärzte taten, was in ihrer Macht stand. Der Koch des Hauses hieß zufällig auch Dietz. Es handelte sich lediglich um eine Namensgleichheit. Er kannte meinen Mann aber noch aus seiner Tätigkeit als Stadtrat, besuchte ihn in seinem Krankenzimmer und sagte ihm, daß er Wünsche hinsichtlich seines Speiseplans äußern könne. Diese hat er bis zum Tod meines Mannes berücksichtigt, und ich war ihm immer dankbar dafür. An Weihnachten war unsere Tochter zum letzten Mal bei ihrem Vater. Ich wußte es, die beiden aber nicht.

Ein anderer Besuch, kurz vor seinem Tod, hat ihn ganz besonders gefreut. Der ehemalige Verwaltungsdirektor von Oberbürgermeister Klotz, Arthur Schwall, der selbst schwer krank war, schleppte sich mit Stock und der Hilfe seiner Frau zu ihm. Meine Verbindung mit Frau Liesel Schwall und unsere Freundschaft dauerten bis zu ihrem Tod im Jahre 1984.

Meinem Mann ging es immer schlechter, und deshalb verlegte man ihn in ein kleines Sterbezimmer. Als er hinausgefahren wurde, rief er den anderen zu: »Ich komme jetzt in das Sterbezimmer, aber den Gefallen zu sterben tue ich euch nicht!«

Zwischen Weihnachten und Neujahr wurde sein Zustand so kritisch, daß ein bekannter Journalist aus Mannheim und seine Frau unsere Tochter zu sich nahmen, um mir mehr Zeit für Friedrich zu geben. Ich hatte Urlaub genommen. An Silvester durfte ich in seinem Zimmer bleiben. Genau um Mitternacht bekam er einen Erstikkungsanfall. Obwohl mir bewußt war, daß jede Verlängerung seines Lebens weitere Qualen bedeuten würden, alarmierte ich einen Arzt. Er lebte noch zehn Tage im Jahre 1959. Seine Schwäche nahm täglich zu. Trotzdem blieb er geistig wach.

An der Wand des Sterbezimmers hing ein großes Kruzifix. Bald nachdem er diese letzte Station bezogen hatte, bedrängte er die Schwestern, es herunterzunehmen. Er sah, wenn er die Augen öffnete, direkt darauf. Ich weiß nicht, warum es ihn so schrecklich störte, vielleicht auch in seinen letzten Stunden ängstigte. Noch an seinem Sterbetag, als der Arzt ihm ein Sauerstoffgerät brachte, dessen Funktion er sich erklären ließ, bat er um die Entfernung des Kreuzes. Dieser Wunsch wurde ihm nicht erfüllt.

Allein

Friedrich starb am Samstag, den 10. Januar 1959 gegen 15 Uhr. Im Dezember hatte er noch sein 49. Lebensjahr erreicht. Am Wochenende konnte ich nicht viel unternehmen. Weil ich seine Freunde und seine Bekannten benachrichtigen mußte, setzte ich die Beerdigung auf Mittwoch, den 14. Januar 1959 fest.

Nach den Aufregungen der letzten Wochen verließen mich nun die Kräfte. Ich reagierte wie eine Marionette, deren Fäden man zog. Meine Schwester war schon vor Friedrichs Tod aus Paris gekommen, um mich zu unterstützen, und mein Schwager kam zur Beerdigung.

Es wurde eine sehr große Beerdigung auf dem Hauptfriedhof in Karlsruhe. Ich war nicht ganz allein, aber doch allein. Wieder hatte der Tod in einer Zeit, die nicht mehr gefährlich war, zugeschlagen. Friedrichs frühes Ende war sehr tragisch für mich nach all den Toten, die mir nahe gestanden hatten und die vorausgegangen waren.

Das Leben ging weiter. Meine Tochter kam aus Mannheim zurück und mußte wieder zur Schule. Mein Urlaub endete, aber ich war nicht arbeitsfähig. Durch die Aufregungen versagte mein Magen. Da ich kaum etwas essen konnte, nahm ich rapide ab. Eine Ärztin schrieb mich krank, und dadurch blieb mir etwas Zeit, über meine veränderte Situation nachzudenken.

Zuerst drängten Arbeiten, die mich sehr belasteten. Friedrich hatte die Wohnung wie zu einer Reise verlassen. Nun war er nicht zurückgekommen, und alles hing an mir. Ein Alptraum war sein Büro. Neben den vielen Büchern und Lexika, die ganze Wände einnahmen, Zeitungen, Zeitschriften und gesammelte ausgeschnittene Artikel in rauhen Mengen. Wohin damit? Für die ganze politische Literatur hatte ich damals mit wenigen Ausnahmen kaum Interesse.

Meine Schwester wollte mir helfen, das Zimmer auszuräumen. Ich verschenkte einen großen Teil der politischen Bücher an Friedrichs Bekannte. Damals hatte das Archiv, mit dem ich Kontakt aufgenommen hatte, kein Interesse an der Literatur, und so ließ ich alles, was ich nicht behalten wollte, mit Lastwagen abholen und einstampfen.

Friedrichs Büro vermietete ich anfangs kurzfristig, zum Beispiel zu Kongressen oder an einen Arzt vom Städtischen Krankenhaus, bis dieser eine eigene Wohnung gefunden hatte. So besserte ich meine Finanzen etwas auf. Später bedauerte ich, mir nicht mehr Zeit gelassen zu haben. Aber meine Schwester, die auch eine kleine Tochter hatte, mußte nach Frankreich zurück. Ohne sie war ich verloren! Meine Ärztin schrieb mich weiterhin krank, weil es mir noch sehr schlecht ging. In diesem Zustand, überlegte ich mir, konnte ich nicht mit Kindern arbeiten. Mir fehlte die unbeschwerte Fröhlichkeit. Deshalb schrieb ich an meine Dienststelle und bat um Versetzung, wenn möglich zum Sozial- und Jugendamt. Dort würde ich es mit Erwachsenen zu tun haben. Die Arbeit traute ich mir zu. Bei Friedel Reger, die dort beschäftigt war, hatte ich mich informiert.

Die Antwort war negativ. Bürgermeister Gutenkunst, dem das Dezernat unterstand, vertrat die Auffassung, jeder sollte das tun, was er gelernt habe. Bei mir sei das die Ausbildung als Erzieherin. Ich war bestürzt, denn zuvor hatten er und der Direktor des Jugendamtes mich doch gerade nicht mit Kindern arbeiten lassen wollen. Nun war ich freiwillig bereit zu wechseln, aber jetzt wünschte man es nicht mehr.

Frau Schwall, mit der ich meine Probleme besprach, unterbreitete Oberbürgermeister Klotz mein Problem. Dieser setzte sich für mich ein, und so konnte ich nach Ostern 1959 beim Sozialamt der Stadt Karlsruhe im Rathaus West beginnen.

Mein neuer Chef war Direktor Ziegler, den ich schon flüchtig kannte. Der neue Arbeitsplatz war eine Unterstützungsabteilung. Dort sollte ich eingearbeitet werden. Die Sachbearbeiter mußten die Anträge der Hilfebedürftigen entgegennehmen und bearbeiten.

Zu Hause hatte ich noch die ältere Frau, die sich um meine Tochter kümmerte und mir ein wenig im Haushalt half. Doch sie konnte diese Tätigkeit aus gesundheitlichen Gründen bald nicht mehr ausüben. Verzweifelt suchte ich nach einem Ausweg, denn meine Arbeit konnte ich nicht aufgeben.

Hilfe kam mir von einer Seite, mit der ich nie gerechnet hätte. Und zwar durch Freundinnen meiner Tochter. Die Eltern dieser Schülerinnen, die Frau eines Bundesrichters und die Frau eines Rechtsanwaltes, setzten sich mit mir in Verbindung und boten mir an, meine Tochter Ilonka nach der Schule zu betreuen. Das war für mich eine ganz große Erleichterung.

Sie konnte dort essen, auch Schularbeiten machen oder, wenn sie wollte, nach dem Essen nach Hause gehen. Sie hatte einen Schlüssel und konnte in unsere Wohnung. Die Häuser ihrer Freundinnen waren in unmittelbarer Nähe, kaum fünf Minuten entfernt.

Ich fand das Engagement dieser beiden Familien großartig. Sie hatten meinen Mann aus seiner politischen Tätigkeit gekannt und teilten bestimmt nicht seine Ansichten. Daß sie mir trotzdem dieses Angebot machten, fand ich sehr großzügig.

Nach dem Tod meines Mannes kümmerte ich mich nicht mehr aktiv um Politik. Ich war interessiert an der politischen Entwicklung der BRD und des Auslandes, blieb aber immer passiv. Im Amt, wo mein Mann als kommunistischer Stadtrat bekannt war, wurde ich nie als »Kommunistin« angesehen. Komischerweise brachte man mich nie damit in Verbindung. Über meine eigene Vergangenheit war nichts bekannt. Mit den Kollegen hatte ich keine Schwierigkeiten. Politisiert wurde selten.

Ein Ereignis, das alle tief beeindruckte, war der Start des russischen Satelliten Sputnik 1. Dieser erste künstliche Satellit hatte wissenschaftliche Aufgaben. Er startete am 4. Oktober 1957. Auch Friedrich hatte den Beginn der Weltraumfahrt noch miterlebt. Nachdem mich die Sowjets während des Ungarnaufstandes so bitter enttäuscht hatten, bewunderte auch ich sie wegen dieser einmaligen Leistung.

Mit der Arbeit kam ich ganz gut zurecht. Ich führte jetzt ein »normales, bürgerliches Leben«, so wie ich es mir vorher manchmal gewünscht hatte. Große politische Ereignisse erschütterten mich nur am Rande, weil ich persönlich nicht beteiligt war. Es traten auch nie Funktionäre einer anderen Partei an mich heran. Vielleicht wäre ich mit der Zeit doch der SPD beigetreten, aber ich hatte keinerlei Kontakte zu dieser Partei.

Nach einiger Zeit fragte mich Direktor Ziegler, ob ich gern im Außendienst arbeiten würde. Man könnte dort noch eine Frau gebrauchen. Wieder wechselte ich den Arbeitsplatz, aber innerhalb des Hauses. Die Abteilung wurde von einem sehr netten Oberinspektor, der nie Nazi gewesen war, geleitet. Als gläubiger Katholik hatte er sogar in der Nazizeit die Prozessionen begleitet, und dazu gehörte damals Mut.

Die Abteilung bestand aus zwölf Kollegen. Mehr als die Hälfte waren in der Nazizeit schon berufstätig gewesen und waren ziemlich stur. Da aber jeder einen eigenen Bezirk hatte und seinen eigenen Stoß an Akten erhielt, gab es keine Schwierigkeiten in der Zusammenarbeit.

Außendienst

Den ersten Bezirk, der mir zugeteilt wurde, kannte ich kaum. Hagsfeld, die Oststadt, der Landfahrerplatz und die Waldstadt. Am 10. September 1957 wurde die Waldstadt gegründet. Es sollte das umfangreichste und bedeutendste Siedlungsprojekt in der Geschichte der Stadt werden. Oberbürgermeister Klotz hat sich ganz besonders für die Planung eingesetzt. Heute kann man sich Karlsruhe ohne die Waldstadt kaum noch vorstellen. Aber damals, 1959, als ich dort arbeitete, sah das ganz anders aus. Die Waldstadt, das waren Wälder und Felder ganz außerhalb der Stadt, die an das Verkehrsnetz natürlich noch nicht angebunden waren. Es gab erst eine Straße, die bebaut war, die Königsberger Straße.

Zeitraubend war es, dorthin zu kommen, insbesondere bei schlechtem Wetter. Weil ich keinen Führerschein hatte, trennte ich mich von unserem Wagen. Ich kaufte zwei Fahrräder, eines für meine Tochter und eines für mich, um im Außendienst beweglich zu sein.

In die neuen Wohnungen kamen zuerst Bürger aus der Altstadt. Ihre Häuser waren zum Teil noch von Bombenangriffen beschädigt und in sehr primitivem Zustand.

Trotzdem fühlten sich nicht alle Bewohner der Königsberger Straße wohl in ihrer hellen und hygienischen Wohnung im Wald. Sie hatten bisher mitten in der Stadt gewohnt. Zwar war es oft eng, und häufig gab es auch Auseinandersetzungen mit den Nachbarn, aber in der Altstadt hatte immer das Leben pulsiert.

Ich hatte verschiedene Aufgaben. Wir bekamen die Beschlüsse von der zuständigen Sozialhilfe-Abteilung. Fast alle neuen Waldstadtbewohner hatten Anträge gestellt. Wir machten Berichte über die Notwendigkeit der Anschaffungen, über die Familien, den Zustand der Kinder, der Wohnungen und so weiter.

Die zweite Gruppe, die einzog, waren Flüchtlinge aus dem Osten und aus der DDR. Die Menschen besaßen außer den Sachen, die sie in ihren Koffern mitgebracht hatten, gar nichts mehr. Für sie mußte alles neu angeschafft werden: Möbel, Geschirr und Kleidung. Die Stadt hatte auch damals wenig Geld. Es konnten häufig nur gebrauchte Möbel genehmigt werden.

Sehr beliebt war die Firma Früh, die auch Versteigerungen durchführte. Frau Anna Früh wurde mit der Zeit stadtbekannt. Sie hatte das einmalige Talent, jede Versteigerung zu einer richtigen »Gaudi« zu machen. Wenn Anna versteigerte, kam mancher mit ihren sogenannten Zaubersäcken zurück. Für eine oder zwei DM enthielten sie immer etwas, was man vielleicht einmal brauchen konnte. Für uns war die Firma Früh von großer Bedeutung, weil wir dort oft die geeigneten Möbel für unsere Klienten finden konnten.

Wenn wir die Menschen in ihren Wohnungen besuchten, bekamen wir häufig auch ihre Geschichte zu hören: die Flucht, der Verlust von Angehörigen, von Besitz, von der Heimat.

Einmal besuchte ich eine volksdeutsche Familie, die aus Polen kam. Der Mann, etwa 55 Jahre alt, war behindert und ging auf Krücken. Er hatte eine ganze Liste an benötigten Gegenständen aufgestellt. Im Haushalt befanden sich die Ehefrau und zwei Kinder. Im Laufe des Gesprächs stellte ich fest, daß er noch immer der Nazi-Ideologie anhing. Unter anderem erzählte er mir, daß man, bevor Hitler kam, in seinem Dorf vor Ostern ganz besonders auf seine Kinder aufpassen mußte, denn die Juden dort hätten kleine christliche Kinder eingefangen und getötet. Mit ihrem Blut seien die Matzen zu dem jüdischen Passahfest gebacken worden. Ich konnte es kaum fassen, daß Menschen in den Jahren 1959/60, nach all dem, was gerade mit den Juden passiert war, noch solche Greuelmärchen in die Welt setzten. Das sagte ich ihm auch, aber er ließ sich nicht beeindrucken. Er antwortete mir, er sei froh, daß Hitler die Juden fast ganz ausgerottet habe.

Damals war ich froh, daß niemand von meiner Herkunft wußte. Auch im Amt hatte ich nie über meine Vergangenheit gesprochen.

Mit einer ähnlichen Begebenheit wurde ich viel später, in der Zeit von Oberbürgermeister Dullenkopf, konfrontiert. Ich mußte eine Familie, Vater, Tochter und deren zwei Kinder aufsuchen. Die Antragsteller waren bekannt dafür, daß sie ständig neue Wünsche hatten. Weil ich nicht alles befürworten konnte, wandten sie sich mit einem langen Brief an Oberbürgermeister Dullenkopf. Die Tochter schrieb unter anderem: »Mein Vater ist ein so feiner und anständiger Mann. Er kann nicht arbeiten, weil er herzkrank ist. Er war auch bei der Waffen-SS.«

1959 gab es in der Waldstadt schon 3000 Einwohner. Der Weg nach Hagsfeld zum Landfahrerplatz war noch weiter. Dort standen keine Häuser oder Baracken. Die Menschen lebten in ihren Wohnwagen. Es handelte sich meistens um Schausteller und Sinti und Roma. Das Leben in dieser Umgebung ohne jeglichen Komfort mußte bedrükkend sein. Es fehlten alle sanitären Einrichtungen. Die vielen Kinder, die dort aufwuchsen, wurden oft krank. Auf dem Gelände liefen immer große, bissige Hunde herum. Sie waren abgerichtet und fielen nie die Bewohner an, aber jeden Fremden. Wenn ich dorthin mußte, kaufte ich vorher immer in einer Metzgerei Knochen und Reste, die ich den Hunden hinwarf, damit sie mich passieren ließen.

Die Behebung der Wohnungsnot der Karlsruher Bürger war weiterhin eine fast unlösbare Aufgabe. Es fehlte Wohnraum nach den schweren Bombenangriffen. Noch intakt gebliebene Wohnungen hatte die Besatzungsmacht anfangs für sich beschlagnahmt. Zwei oder drei Familien wohnten häufig in einer einzigen Wohnung, und das funktionierte nicht immer. Es entstanden Schwierigkeiten, weil sie die Benutzung des Bades und der Küche teilen mußten. Diese ausgebombten oder aus anderen Gründen wohnungslos gewordenen und zwangseinquartierten Leute suchten natürlich fieberhaft nach einer eigenen Bleibe.

Als die Waldstadt sich rasch vergrößerte und die Neubauten zur Verteilung kamen, meldeten sie sich sofort. Doch durch die große Einwanderungswelle von Flüchtlingen konnten sie vorerst nicht berücksichtigt werden. Das begünstigte natürlich die ablehnende Haltung gegenüber den Neubürgern. Durch den unermüdlichen Einsatz der verantwortlichen Bürgermeister, Stadträte, Architekten und Stadtplaner konnte man bald von Doppelbelegungen des vorhandenen Wohnraumes absehen.

Später bekam ich den Bezirk Daxlanden, Grünwinkel, Teile von Mühlburg, Beiertheim und Bulach. Dieser Bezirk bezog auch die Barackensiedlungen Bellenäcker und Dohlenweg mit ein. 1960/61 gab es in der Bellenäcker-Siedlung noch Gemeinschaftstoiletten im Freien. Die Behausungen waren primitiv, und ebenso schlimm für die Bewohner war die Ausgrenzung, wenn man dort wohnte. Ungern nahmen Handwerker Lehrlinge aus diesem Milieu. Ein Arbeitsplatz mit dieser Wohnadresse war wesentlich schwerer zu erhalten. Die meisten Familien bezogen Sozialhilfe oder zusätzliche Leistungen. Die Baracken lagen weit von der Straßenbahn-Haltestelle entfernt.

Deshalb beschloß ich im Sommer 1961, den Führerschein zu machen, und kaufte mir danach einen kleinen Wagen. In den Bellenäckern wohnte ein Mann mit seiner großen Familie, der meistens krank war und von Sozialhilfe lebte. Ich traf ihn fast immer im Bett sitzend an. Er hatte einen »Lotto-Tick«. Um ihn herum lagen eine Unmenge Lottoscheine. Er tüftelte Systeme aus und war überzeugt, daß er einmal gewinnen würde. Vermutlich verspielte er auch einen Teil der Sozialhilfe. Als ich dort eines Tages hinkam, war er nicht mehr da. Ich erfuhr, daß er tatsächlich gewonnen hatte. Nun wohnte er mit seiner Familie in der Altstadt. Immerhin hatte er einen Gewinn von 60 000 DM, was damals sehr viel Geld war. Nach etwa einem Jahr traf ich die Familie wieder in den Bellenäckern. Geld, Wohnung, Wohlstand, alles verspielt.

Im Dohlenweg, einer fast ebenso primitiven Barackensiedlung, wohnten viele Sinti und Roma. Ich hatte ein gutes Verhältnis zu diesem Personenkreis und deshalb dort auch keine Schwierigkeiten. Einmal mußte ich einen jungen Mann aufsuchen, der Sozialhilfe beziehen, aber nicht arbeiten wollte. Die Sinti und Roma waren meist Musiker und lebten vom Handel. Als ich sagte, daß er etwas arbei-

ten sollte, um seinen Lebensunterhalt selbst zu verdienen, antwortete er, lesen und schreiben habe er nicht gelernt, er könnte nur Musik
machen. Er bekräftigte die Aussage noch, indem er hinzusetzte:
»Sinti und Roma und Juden arbeiten nicht.« Im Moment war ich
sehr überrascht, wagte dann aber festzustellen, daß Juden doch arbeiteten. Es gäbe sehr viele jüdische Ärzte und Anwälte, versuchte
ich ihn zu belehren. Doch er meinte: »Das ist doch keine Arbeit.«
Jedenfalls konnte ich ihn nicht überzeugen, und er ging weiterhin
der Arbeit in großem Bogen aus dem Weg.
Bei einer anderen Familie, die ich aufsuchen mußte, traf ich nur die
beiden Töchter von 14 und 15 Jahren an. Sie sagten, die Eltern seien
unterwegs, um Handel zu treiben. Ich wollte ihnen eine Einbestellung für die Eltern geben, aber sie lehnten ab. »Es kann niemand lesen«, begründeten sie ihre Ablehnung. »Ihr seid doch zur Schule gegangen«, erwiderte ich, »wieso könnt ihr nicht lesen und schreiben?« Sie sagten mir, in der Schule seien sie nur kurze Zeit gewesen, sie hätten alles wieder vergessen; sie brauchten solche Kennt-
nisse auch nicht.
Anläßlich eines Hausbesuchs traf ich viele Sinti und Roma in der
Wohnung an. Im Zimmer lag ein Sterbender in einem Bett. Um ihn
herum alle seine Verwandten und Bekannten. Es brannten Kerzen,
und ich nahm an, daß die Trauernden beteten. Fast alle Sinti und
Roma waren katholisch. Nach dem Tod eines Familienangehörigen
durfte die übrige Sippe nicht in der Wohnung, in der ein Verwand-
ter gestorben war, bleiben. Im Dohlenweg tauschten die Sinti und
Roma ihre Wohnungen dann untereinander aus. Es gab aber auch
schon sehr assimilierte Sinti-und-Roma-Familien. Zwischen diesen
und der deutschen Bevölkerung bestand kaum ein Unterschied. Sie
bewohnten Wohnungen in der Stadt, die sehr gepflegt und äußerst
liebevoll ausgestattet waren. Sie schickten ihre Kinder in die Schule, und die meisten machten auch einen Schulabschluß.
Die Arbeit, gerade in meiner ersten Zeit im Außendienst, gefiel mir
gut. Es bestand auch die Möglichkeit, sich für die Hilfesuchenden
einzusetzen und für sie etwas zu erreichen.

Eine Frau, die ich in Daxlanden in ihrer Wohnung besuchte, klagte mir ihr Leid. Sie hatte eine schwere Augenkrankheit und wußte, daß sie in einem halben Jahr vermutlich erblinden würde. Das war die Diagnose. Ihr ganzes Vergnügen bestand darin, daß sie eine Bekannte in der Nachbarschaft aufsuchen konnte, die schon ein Fernsehgerät besaß. Doch nun mußte sie auch das aufgeben, weil sie nicht mehr alleine ausgehen konnte. Ihr größter Wunsch, sagte sie, für die Zeit, in der sie noch nicht erblindet sei, wäre ein eigenes Fernsehgerät. Aber sie hatte kein Geld dafür. Ich sprach mit den Kollegen der zuständigen Abteilung. Diese konnten nichts tun. Ein Fernsehgerät wurde damals als Luxusartikel angesehen. Dafür wurden beim Sozialamt keine Mittel bewilligt. Die Sache ließ mir keine Ruhe. Der Gedanke, nur noch ein halbes Jahr sehen zu können, mußte schwer zu ertragen sein. Die Frau stand ganz allein. Sie war rund 60 Jahre alt. Schließlich entschloß ich mich, unserem Direktor, Herrn Ziegler, den Fall vorzutragen. Er war sofort bereit zu helfen und beauftragte mich, einen gut erhaltenen gebrauchten Apparat zu erwerben. Die Antenne ging damals auf Kosten des Käufers nebst Montage. Bei Radio Freytag in Mühlburg wurde ich gut beraten. Der Chef und die Angestellten, denen ich von der Frau erzählte, waren sehr hilfreich und suchten für mich ein noch gutes und preiswertes Gerät aus. Antenne und Montage berechneten sie nicht.

Es gab aber auch Fälle, deren Erledigung nicht ganz ungefährlich waren. Ein junger Mann hatte in einem Lokal den Wirt angegriffen, niedergeschlagen und erheblich verletzt. Dieser mußte zur stationären Behandlung in das Städtische Krankenhaus. Die Krankenkasse des Wirtes weigerte sich zu zahlen und verwies auf den Unfallverursacher. Ich mußte ihn aufsuchen, weil er auf mehrere Einbestellungen nicht erschienen war. Nachdem ich ihm eröffnet hattee, daß er den Schaden nun selbst begleichen müsse, reagierte er äußerst aufgebracht. Er schrie herum und sagte, daß er den Wirt über den Haufen schießen würde, wenn er auch nur eine müde Mark zahlen müßte. Ich ließ mich nicht einschüchtern und entgegnete, er solle nicht so angeben, er hätte ja bestimmt keine Pistole. Da zog er eine

Schublade auf und holte eine Waffe heraus. Danach ging ich etwas vorsichtiger mit ihm um.

Mit einem teils traurigen aber auch lustigen Erlebnis will ich den Auszug meiner Schilderungen vom Außendienst aus der allerersten Zeit meiner Tätigkeit beenden.

Wenn ältere Mitbürger nicht mehr alleine ihren Haushalt und sich selbst versorgen konnten, mußten sie oft in ein Altersheim gehen. Das bedeutete immer die letzte Station und den Verlust des gewohnten Lebens. Die Einstellung der Betroffenen dazu war unterschiedlich. Bei alleinstehenden Sozialhilfeempfängern hatten wir oft Hilfestellung zu leisten. Zum Schluß mußte die Wohnung aufgelöst werden, falls keine Verwandten vorhanden oder bereit zu helfen waren. Verwendbare Gegenstände erhielt das Sozialamt für geleistete Aufwendungen.

Man übergab mir die Schlüssel einer Knielinger Wohnung. Die ehemalige Mieterin befand sich schon in einem Altersheim. In der Wohnung sah es schrecklich aus. Schmutz, alte verdreckte Kleidung, verdorbene Nahrungsmittel und ein unglaublicher Gestank. Weil nichts Verwertbares mehr zu finden war, übergab ich die Schlüssel der Firma Sündermann, damals ein bekanntes Unternehmen für Räumung und Entrümpelung. Herr Sündermann kam mit einem Lieferwagen und lud das ganze Gerümpel auf, um es zu vernichten. Ich sah dem Wagen nach und war nicht wenig erstaunt, als mindestens sechs oder sieben Mäuse vom Wagen sprangen und das Weite suchten. Herr Sündermann hatte gar nicht gemerkt, daß er lebendige Fracht mit aufgeladen hatte.

Die Mauer

Im August 1961 fuhr ich mit meiner Tochter in den Sommerferien nach Bad Ems. Ich wollte ihr meine Heimatstadt und deren Umgebung zeigen. Außerdem beabsichtigte ich, einige Fahrten mit dem Schiff an Rhein und Mosel zu machen. Unsere Haupttour ging mit einem Bus nach Luxemburg, wo wir auch die Kasematten besichtigten. Meine Tochter war in der zweiten Klasse des Gymnasiums und brauchte Stoff für einen Deutschaufsatz nach den Ferien.

Schon bevor wir die Reise antraten, hatte eine noch größere Einwanderungswelle aus der DDR und Ostberlin eingesetzt. Im Amt waren wir fast ausschließlich mit diesen Fällen beschäftigt. Aber im Urlaub hatte ich abgeschaltet. In Bad Ems kam ich nur mit wenigen ehemaligen Bekannten zusammen. Bei einer Schulfreundin, die nie dem Nazi-Wahn verfallen war, konnten wir wohnen und einiges gemeinsam unternehmen. Der Kontakt zu vielen anderen wurde von beiden Seiten noch vermieden.

Erst 1971, als ich eingeladen wurde an der 50-Jahrfeier der Jahrgänge 1920/21 der drei Emser Schulen teilzunehmen, gab es einen Durchbruch. Ein Klassenkamerad sprach über die Vergangenheit. Es gelang ihm, die Wand, die immer noch zwischen meinen Emser Schulkameraden und mir stand, zumindest zum Wanken zu bringen, so daß Diskussionen und Aussprachen möglich wurden.

Otto, dieser Klassenkamerad, schilderte die 12 Jahre Diktatur aus seiner Sicht. Wie die Jugend verführt wurde. Er berichtete über das Leben der jüdischen Familien in Bad Ems und was er von dem Leidensweg der ehemaligen Mitbürger noch mitbekommen hatte. Er und seine Freunde wurden bald Soldaten, und viele von ihnen fielen. Doch daß er an die ermordeten Emser Juden erinnerte, hatte mich damals sehr beeindruckt. Es war die Zeit, in der versucht wurde, gerade diesen Abschnitt der Geschichte zu verdrängen. Seit dem Klassentreffen 1971 war der Bann, der 25 Jahre über den Verbindungen zu Menschen lag, mit denen ich aufgewachsen war, gebrochen. Es wurde möglich, wieder neue Freundschaften zu schließen. Aber es hatte 25 Jahre gedauert! Die Beziehungen von beiden Seiten waren durch den Einfluß der Nazi-Ideologie vergiftet. 1961, immerhin 15 Jahre danach, traf ich mich nur mit Leuten, von denen ich wußte, daß sie zumindest keine Antisemiten waren.

Am 13. August 1961 aß ich mit meiner Tochter im Gasthaus »Goldenes Faß« zu Mittag. In dieser Wirtschaft war mein Vater am 30.3.1933 an einem Herzschlag gestorben. Er hatte sich mit Parteifreunden dort getroffen. Bei dieser Gelegenheit wurde ihm eröffnet, daß er als Jude nicht mehr Stadtverordneter der »Deutschen Volkspartei« sein konnte.

Als wir das Lokal betraten, spürten wir sofort die gespannte Stimmung der Gäste. Es lag etwas in der Luft. Man wartete auf die Nachrichtensendung. Endlich war es soweit. Das Restaurant war gut besucht, denn es war Sonntag. Der Sprecher gab bekannt, daß die Grenze innerhalb von Berlin mit Stacheldraht abgesperrt werde. Es sollte eine Mauer errichtet werden, die eine Flucht unmöglich machte. Die Grenze wurde hermetisch geschlossen. Die Regierung der DDR wollte damit den Flüchtlingsstrom stoppen.

Verzweifelte Menschen, insbesondere solche, die Verwandte in Westberlin oder der BRD hatten, versuchten, trotz Sperren zu entkommen. Es gab Verletzte, auch Tote. DDR-Bürger, denen die Flucht nicht gelungen war, wurden zurückgebracht und mußten mit Strafen rechnen. Man konnte sich in diesem Augenblick nicht ausdenken, welche Auswirkungen eine derartige Maßnahme haben könnte. Manche dachten sogar an Bürgerkrieg.

Ich war froh, daß mich das alles nur am Rande mitbetraf. Hätte mein Mann noch gelebt, würden diese Ereignisse sicher eine andere Bedeutung für mich erhalten haben. Nun stand ich nicht mehr an der Seite eines Politikers. Ich fragte mich aber, wie er die Lage eingeschätzt hätte. Auf welcher Seite er gestanden hätte und ob er mit solchen Maßnahmen einverstanden gewesen wäre. Ich konnte es mir nicht vorstellen. Freiheit bedeutete für ihn – der aus Deutschland fliehen mußte – alles; Stacheldraht und Mauer hießen schon rein äußerlich Einschränkung der persönlichen Freiheit.

In den Abendnachrichten erfuhren wir, daß von Samstag auf Sonntag, dem letzten Fluchttag, noch 4130 Flüchtlinge das Westberliner Notaufnahmelager Marienfelde erreicht hatten. Die Welt hielt den Atem an. Doch unerwartet kamen diese Ereignisse nicht. Der Anordnung der Grenzsperre gingen einige Maßnahmen der DDR-Regierung voraus. Seit 9. August 1961 mußten sich alle Ostberliner, die in Westberlin arbeiteten, bei den zuständigen Behörden ihres Wohnbezirks melden. Sie wurden aufgefordert, ihren Arbeitsplatz in Westberlin aufzugeben und eine Tätigkeit in Ostberlin anzunehmen.

Auf den Grenzbahnhöfen der Untergrund- und Stadtbahn zwischen Ost- und Westberlin wurden fluchtverdächtige Personen herausgeholt. Die Volkspolizei (Vopo) zerstreute jede Ansammlung von Menschen. In den letzten Tagen vor der Grenzschließung wurden bereits täglich 1300 bis 1400 Flüchtlinge in die BRD ausgeflogen. Es gab Sonderflüge der amerikanischen Fluggesellschaft PAA. Die Flüchtlinge kamen nicht nur aus Ostberlin, sondern auch aus der DDR. Es gab drei Notaufnahmelager: Berlin, Gießen und Ülzen.

Da ich die Ereignisse nun distanziert und nüchtern betrachten konnte, ließ ich mir den Aufenthalt in Bad Ems nicht verderben. Auch Karlsruhe hatte nach dem allerletzten Flüchtlingsstrom noch mehr als 1000 Menschen aufgenommen. Wir waren wieder voll im Einsatz.

Doch ab dem 13. August 1961 kam kaum noch jemand. Langsam lebten sich die neuen Mitbürger ein. Es gab genug »Einheimische«, die gar nicht traurig waren, daß es eine innerdeutsche Mauer gab. Diejenigen, die sich seinerzeit zum Beispiel bei der Wohnungszuteilung zurückgesetzt gefühlt hatten, kamen nun schneller zum Ziel. Ihre Wartezeiten wurden kürzer.

So ging das schicksalhafte Jahr 1961 ohne große Veränderungen für die Bundesrepublik und für die Bevölkerung zu Ende. Die Wirtschaft florierte. Man sprach 1963 unter Bundeswirtschaftsminister Erhard vom Wirtschaftswunder. Man sprach auch von der Wiedervereinigung Deutschlands, aber seit der Mauer gab es noch weniger Hoffnung. Es war die Zeit des Kalten Krieges, die Zeit des Eisernen Vorhangs.

Unser Leben hat sich seit unserer Rückkehr nach dem Kriege bis zum Mauerbau immer von der Mehrheit unserer Mitbürger unterschieden. Friedrich fiel durch sein politisches Engagement auf »der falschen Seite« und ich durch meine Vergangenheit aus dem Rahmen. Nach seinem Tod versuchte ich, mich dieser Normalität anzupassen. Das gelang mir recht gut. Ich gehörte nun zu den berufstätigen, alleinerziehenden Müttern. Ich teilte das Schicksal vieler deutscher Frauen meiner Generation. Mein Leben wurde ruhiger, finanziell sicherer, aber nicht interessanter.

Der Sechstagekrieg 1967

Ende 1964 zog ich in die Waldstadt, und 1965 kam meine Schwester mit ihrer 13jährigen Tochter zurück nach Deutschland. Ich fand für sie eine kleine Wohnung in Neureut-Heide, jetzt Karlsruhe. Ihr Mann war 1965 verstorben. Wieder glichen sich unsere Schicksale. Auch sie war nun alleinerziehende Mutter, die berufstätig sein mußte. Es war nun leichter für uns beide, in einer Stadt zusammenzuleben.

Meine Schwester traf im Jahr des Stadtjubiläums ein. 1965 wurde Karlsruhe 250 Jahre alt. Eine junge aufwärtsstrebende Stadt, die zwar durch den Krieg sehr zerstört, aber wundervoll angelegt war. Die Straßen verliefen fächerförmig. Wir hatten zu dieser Zeit einen Oberbürgermeister, der Bauingenieur war und den Wiederaufbau sehr stark aktivierte und förderte.

Erst 1967 warf mich ein Ereignis, das die Welt bewegte, aus meinem alltäglichen Trott: der Sechstagekrieg in Israel. Plötzlich fühlte ich mich wieder beteiligt, wenn auch räumlich weit entfernt. Es kämpften die Menschen, zu denen ich während der Nazizeit gehört hatte, zwangsweise gehören mußte; unser Schicksal hatte uns über Jahre hinweg verbunden. Ein solches Band ist vermutlich unzerreißbar. Man kann vieles vergessen, verdrängen, aber jetzt ging es dort wieder um das Überleben, um das Sein oder Nichtsein einer winzig kleinen Nation. Doch dieses kleine Land war die Hoffnung fast aller Juden in der ganzen Welt.

Der Krieg, den die Israelis gegen Ägypten, Syrien und Jordanien führen mußten, nahm einen rasanten Verlauf. Er dauerte vom 5. bis 10. Juni 1967. Zu den unmittelbaren Anlässen gehörten der am 17. Mai 1967 vom ägyptischen Präsident Nasser geforderte und erfolgte Abzug der an der Grenze zu Israel stationierten UN-Friedenstruppe;

die Schließung der Straße von Tiran für israelische Schiffe am 22. Mai, die Mobilisierung der Armeen in Ägypten, Syrien und Jordanien sowie Beistandspakte auch mit dem Irak und andere wichtige militärische Aktionen gegen Israel. Dayan, israelischer Verteidigungsminister, und Begin, Minister ohne Geschäftsbereich, mobilisierten die israelische Armee.

Israel führte am 5. Juni 1967 einen Präventivschlag durch, der die ägyptische, syrische und jordanische Luftwaffe am Boden zerstörte. Unter anderem wurden am 9. und 10. Juni in verlustreichen Kämpfen die Golan-Höhen erobert. Am Abend des 10. Juni 1967 trat ein Waffenstillstand in Kraft. Der Sieg im Sechstagekrieg brachte den Israelis auch in der Bundesrepublik viel Ansehen. Während der Nazizeit waren die Juden in Deutschland als unmilitärisch, unsportlich und feige hingestellt worden. Nun hatten sie, wie schon oft in kleinen Kriegen, diesen übermächtigen Feind, der sie von allen Seiten bedrängte, besiegt.

Auch meine Kollegen waren sehr beeindruckt, und dieser Sieg Israels erfüllte mich mit Stolz. Das waren nicht mehr die wehrlosen Opfer, die in Lager verschleppt und in Gaskammern zusammengetrieben wurden, das waren Menschen, die, wenn es notwendig war, auch zu kämpfen verstanden.

Obwohl ich Kriege und Blutvergießen verabscheute, hatte ich für diesen Blitzkrieg des jungen jüdischen Staates nur Bewunderung. Die jüdische Gemeinde in Karlsruhe rief zu Spenden auf, und es waren nicht nur Juden, die sich daran beteiligten. Vermutlich gehörte auch Oberbürgermeister Klotz zu den nichtjüdischen Spendern.

Bei der Errichtung und Erhaltung der Gedenkstätte Gurs in Südfrankreich, wohin die badischen und saarpfälzischen Juden 1940 deportiert worden waren, war Karlsruhe mit Unterstützung von Oberbürgermeister Klotz maßgeblich beteiligt. Gedenkstätte und Friedhof wurden in Gurs im März 1963 eingeweiht.

Günter Klotz war Ehrenbürger der Partnerstadt Nancy und seit 1970 auch Ehrenbürger von Karlsruhe. Er starb 1972. Im gleichen Jahr fand die Olympiade in München statt. Alle elf israelischen Sportler kamen dort am 4. September durch ein Attentat ums Leben, das Feinde des israelischen Staates verübt hatten. Ein Jahr später, am 6. Oktober 1973, am höchsten Feiertag der Juden, dem Versöhnungstag (Jom Kippur), brach ein neuer arabisch-israelischer Krieg aus, der als Jom-Kippur-Krieg in die Geschichte einging und bis 24. Oktober 1973 dauerte.

Die Israelis, deren Geheimdienste versagt hatten, wurden von Präsident Sadats Angriff überrascht. Sie erlitten hohe und gefährliche Verluste, konnten sich aber an beiden Fronten, (Ägypten und Syrien) behaupten. Ich hatte nun, da viele Deutsche der Sache der Israelis aufgeschlossen gegenüberstanden, ja zu Unterstützern des bedrängten Staates wurden, immer weniger das Gefühl, eine Außenseiterin zu sein.

Auf andere, weniger bedrohliche Weise wurde in den siebziger Jahren auch Deutschland gefährdet. Es gab Terror und Morde in unserer unmittelbaren Umgebung. Generalbundesanwalt Siegfried Buback und sein Fahrer Wolfgang Göbel fielen 1977 einem Mordanschlag zum Opfer. Ein weiterer Begleiter erlag seinen schweren Verletzungen.

Doch die Menschen beruhigten sich bald wieder. Das gewohnte Leben ging weiter. Den Deutschen ging es sehr gut, obwohl der Höhepunkt des »Wirtschaftswunders« bereits überschritten war. Die Älteren genossen den Wohlstand, und für die Jugend war alles zur Selbstverständlichkeit geworden. Fernreisen, angeheizt durch die Medien, besonders durch das Fernsehen, wurden immer beliebter.

1981 sollte auch für mich der Traum meiner Jugend in Erfüllung gehen. Nordamerika das Land, das ich schon als Kind für eine mögliche Auswanderung gewählt hatte, konnte ich nun endlich im Alter von 60 Jahren kennenlernen.

Amerika

Die Arbeit bei der Sozial- und Jugendbehörde wurde nie zu einer Routinetätigkeit. Wir hatten es immer mit Menschen zu tun, und kein Arbeitstag glich dem anderen. In dieser Zeit bekam ich die außergewöhnliche Gelegenheit, einen dreijährigen Jungen zu seiner Mutter in die USA zu bringen. Schon vorher hatte ich die junge Deutsche, die mit einem farbigen US-Amerikaner liiert war, betreut. Sie war ihm in die Vereinigten Staaten gefolgt. Das Kind sollte später nachkommen. Die Mutter bestand darauf, daß ich ihr den Sohn nach El-Paso bringe.

Ein junger Kollege nahm Urlaub und flog mit nach Amerika. Das war für mich eine enorme Erleichterung und Hilfe. Ich hatte gerade meinen 60. Geburtstag gefeiert. Maggi, die Mutter von Terry, lebte in einer Siedlung, die nur von Schwarzen bewohnt wurde. Wir blieben fast eine Woche, waren sehr viel wegen der Eingewöhnung des Kindes mit ihr, ihrem Mann und ihren neuen Freunden zusammen.

Von Texas flogen wir nach Kalifornien. In San Francisco mieteten wir ein Auto und fuhren an der Küste entlang nach Los Angeles. Dort hatte ich Bekannte aus Bad Ems, die wir besuchen wollten.

Paul Oppenheimer, mein Bekannter, war wesentlich älter als ich und hatte mich früher nie beachtet. Unsere Eltern hatten sich gekannt, und das Schicksal seiner Familie erfuhr ich erst nach dem Krieg. Als ich mich mit meiner Schwester 1978 in Bad Ems ein paar Tage aufhielt, waren er und seine Frau zum ersten Mal wieder in der alten Heimat. Wir gingen zusammen zum jüdischen Friedhof. Seine Eltern waren dort nicht beerdigt. Sie waren genau wie unsere Verwandten nach Theresienstadt deportiert worden und dort umgekommen. Noch vor dem Krieg hatten sie ihr Haus verkauft, um ihren vier Kindern die Auswanderung zu ermöglichen. Diese, drei

Söhne und eine Tochter, haben in den USA und Australien überlebt. Auch für unsere Verwandten gab es kein Grab auf dem Bad Emser Friedhof. Wir haben eine Gedenkplatte mit Namen und Daten der Deportierten anfertigen lassen, die bei unseren Familiengräbern niedergelegt wurde. Das haben Oppenheimers dann auch getan. Paul war der älteste Sohn der Familie. Er wurde nach der »Kristallnacht« verhaftet und mußte sich damals verpflichten, Deutschland sofort zu verlassen, sonst wäre er nicht aus der Haft entlassen worden. Nun waren meine Schwester und ich zu ihm nach Los Angeles eingeladen worden. Ich hatte ihm mitgeteilt, daß ich sicher nicht mehr kommen könnte, und nun reiste ich mit Klaus durch Kalifornien.

Paul hatte uns für einen Freitagabend zum Essen eingeladen. Als wir sein Haus endlich fanden, wartete die ganze Familie schon fast zwei Stunden auf uns. Kinder und Enkel waren versammelt. Ich hatte gar nicht daran gedacht, daß sie einen traditionellen Freitagabend, den Beginn des Schabbat feiern würden, weil ich nicht religiös bin. Wegen Klaus wurden alle Gebete statt in hebräisch in deutsch gesprochen. Das Essen war vorzüglich und dauerte Stunden. Für Klaus war das sicher ein großes Erlebnis. Er wurde als Deutscher der nächsten Generation auch ohne Vorbehalte akzeptiert.

Paul und seine aus Österreich stammende Frau Hedi sprechen noch manchmal deutsch miteinander. Für ihre Kinder und Enkel ist es eine Fremdsprache!

Klaus ist, wenn auch auf andere Weise, ebenfalls ein Opfer des Krieges. Er wurde 1940 geboren. Sein Vater wurde während des Krieges eingezogen und kam als Soldat selten nach Hause. Seit 1944 gilt er als vermißt. Er hatte nie Gelegenheit, ihn richtig kennenzulernen.

Ruhestand

1983 war mein Arbeitsleben beendet. Ich konnte Rente beantragen und befand mich jetzt im Ruhestand. Mir machte es keinerlei Mühe, meine neu gewonnene freie Zeit zu gestalten.

Mein erster Wunsch war es zu verreisen. Noch zweimal flog ich über den großen Ozean, nach New York, Washington, Philadelphia und Florida. Ich berauschte mich auch da wieder an der ungeheuren Weite des Landes, doch die erste Reise hatte alle anderen übertroffen.

In Bad Ems traf ich eine ehemalige jüdische Mitschülerin, die in New York lebte. Wir hatten uns seit unserer Kindheit nicht gesehen. Ann hatte damals in einem kleinen Dorf bei Nassau mit ihren Eltern und Geschwistern gewohnt und in Bad Ems das Gymnasium besucht. Sie konnte noch kurz vor Kriegsbeginn nach London auswandern. Ihre gesamte Familie, Eltern, zwei Schwestern und ein Bruder wurden deportiert und ermordet. Ann hat in Amerika geheiratet und eine neue Familie gegründet.

Meine Schwester und ich wollten New York kennenlernen. 1984 buchten wir einen Flug mit organisierten Busreisen. Danach sollten wir noch eine Woche bei Familie Rosenthal bleiben.

Von vielen Fahrten und Erlebnissen ist mir eine Veranstaltung ganz besonders in Erinnerung geblieben. Wir besuchten eine Siedlung der Mennoniten. Die Mennoniten lebten noch ähnlich wie vor rund 300 Jahren, als sie nach Amerika einwanderten. Sie haben sich nie angepaßt. Sogar ihre ehemalige Sprache haben sie erhalten, wenn auch etwas verändert im Laufe der Jahrzehnte. Diejenigen, die ursprünglich aus Deutschland und der Schweiz gekommen waren, konnten wir sehr gut verstehen.

Die Mennoniten sind auch eine Minderheit, die verfolgt wurde.

Man könnte sie als religiöse Fanatiker bezeichnen, aber sie wurden nie gewalttätig und sind mir deshalb sympathisch. Sie verlangen von ihren Nachkommen, ebenso zu leben. Wer das verweigert, wird aus der Gemeinschaft ausgestoßen.

Bei unseren Bekannten kamen wir in eine assimilierte amerikanische Familie mit jüdischer Tradition. Sie waren nicht streng religiös.

Viele Dinge, die wir längst vergessen hatten, fielen uns wieder ein. Die Schwiegertochter von Ann und Ernest war zunächst Katholikin, trat aber dann zum Judentum über. Die Kinder der jungen Familie, er ist Arzt, wurden jüdisch erzogen. Wahrscheinlich wäre ich den umgekehrten Weg gegangen. Die meisten treten, wenn ein Elternteil schon Christ ist, eher zum Christentum über, um ihren Nachkommen das Leben in einer verwundbaren Minderheit zu ersparen. Ganz gleich in welchem Land, Antisemitismus gibt es weiterhin und überall.

Ein Teil der Juden in Amerika interessiert sich sehr für Israel, und manche spenden regelmäßig für den neuen Staat. Jüdische Amerikaner verließen die USA, um in Israel zu leben und auch für den Erhalt des Staates zu kämpfen. Bei diesen Gesprächen wurde ich wieder an das Kriegsende erinnert, als aus den deutschen Vernichtungslagern Jugendliche zur Erholung in die Schweiz gebracht wurden. Viele von ihnen fanden später eine neue Heimat in Israel.

Oft habe ich mich gefragt, wer in den beiden Kriegen Israels und in den ständigen Auseinandersetzungen mit den Palästinensern von diesen noch umgekommen ist.

Dabei fielen mir zwei Geschichten ein, die ich nach dem Krieg gelesen habe. Kurz bevor die Rote Armee Auschwitz befreite, gelang es zwei polnischen Familien, zwei kleine, kranke und halbverhungerte jüdische Jungen aus dem Lager zu schmuggeln, da sich die Bewachung gelockert und die SS sich schon teilweise abgesetzt hatte. Beide Familien nahmen je ein Kind bei sich auf. Kurze Zeit danach starb ein Familienmitglied der Polen. Als man den Kleinen zu dem Toten, den er gekannt hatte, führte, fragte er: »Was heißt das, gestorben? Wer hat ihn totgeschlagen?« Für ihn gab es nur Tote, die totgeschlagen wurden. Nach seinen Lebenserfahrungen starben die Menschen nur eines gewaltsamen Todes.

Der andere Junge wurde nach dem Krieg zu einer Beerdigung mitgenommen. Er sah den großen Sarg mit Blumen, und er hörte die Musik. Da sagte er zu seinen Pflegeeltern: »Sind die Leute denn wahnsinnig? Wegen eines einzigen Leichnams machen sie solche Geschichten!« Diese Kinder mußten erst lernen, ein normales Leben zu führen.

Als wir nach Karlsruhe zurückkamen, wurde ich auch dort wieder an die jüdische Vergangenheit erinnert. Die Jüdische Gemeinde Karlsruhe erinnerte daran, daß der Oberrat der Israeliten Badens 1809 gegründet worden war. Das 175jährige Bestehen (mit Unterbrechung während der Nazizeit) wurde festlich begangen. Die Landesregierung Baden-Württembergs unterstützte die Veranstaltung. Eine große Ausstellung im Karlsruher Schloß sollte auch die Bevölkerung informieren. Es sprachen namhafte Vertreter der Landesregierung, und danach gab es einen Empfang im Zentrum der Jüdischen Gemeinde.

Dort prostete mir ein Mann zu, mit dem ich mich auch später noch traf und anfreundete. Es war Carlos, der erste Jude in Karlsruhe, mit dem ich wieder Kontakt hatte. Die anderen Mitglieder der Jüdischen Gemeinde kannte ich nur flüchtig. Carlos hatte Deutschland 1936 verlassen und 27 Jahre in Argentinien gelebt. Eine Schwester wurde mit ihrer Familie in Auschwitz ermordet. Selten trifft man auf Überlebende, die keine Familienangehörigen in der Nazi-Zeit verloren haben.

Oberbürgermeister Prof. Dr. Seiler lädt
ehemalige jüdische Mitbürger ein

Schon Jahre bevor ich aufhörte zu arbeiten, hatten wir einen Stammtisch gegründet. Wir trafen uns regelmäßig einmal in der Woche in einem kleinen Gartenlokal, im »Elsternnest«. Nachdem wir nach und nach fast alle aus dem Berufsleben ausgeschieden waren, kamen auch die Partner dazu. Auch meine Schwester und eine langjährige Freundin schlossen sich an.

Elvira zählte ebenfalls zu den Opfern des Krieges. Mit 17 Jahren, im Frühjahr 1943, hatte sie ihre Ausbildung im Bühnentanz beendet und ein Engagement am Stadttheater in Münster erhalten. Bei dem großen Fliegerangriff auf Münster, am 10. Oktober 1943, wurde sie verschüttet. Sie lag 17 Stunden unter den Trümmern, bis sie ausgegraben und gelähmt in ein Krankenhaus gebracht werden konnte. Nach einem halben Jahr verlegte man sie in das Sportsanatorium Hohen-Lychen bei Templin. Diesem war ein SS-Lazarett mit einer SS-Chirurgengruppe, die Himmler unterstand, angeschlossen. Ein SS-Arzt operierte Elvira, und die Stationsärztin behandelte sie mit großer Sorgfalt.

Die gleichen Ärzte, die alles daransetzten, ihre Patienten im Sportsanatorium zu heilen, waren die Schrecken des Konzentrationslagers Ravensbrück. Dort führten sie medizinische Versuche an politischen und rassischen Gefangenen durch. Der Leiter und SS-Professor des Sanatoriums bestimmte, welche Ärzte die medizinischen Versuche an den Häftlingen durchzuführen hatten.

Elvira erfuhr von der Doppelrolle der Ärzte erst nach dem Krieg. Durch die schweren Verletzungen mußte sie bald nach Kriegsende ihren Bühnentanz aufgeben. Auch eine zweijährige pädagogische Ausbildung und Prüfung für Tanz und Gymnastik war nicht die letzte Lösung. Sie schulte noch einmal um. Ich lernte sie als Masseurin und Heilgymnastin kennen. Immer wieder stellte ich fest, wie unterschiedlich die Erlebnisse der Menschen in der Nazizeit und im Krieg gewesen waren.

1987 flog ich mit meiner Schwester noch einmal in die USA. Die Reise mit unseren Freunden Ann und Ernest führte uns von New York nach Florida. In Orlando besuchten wir auch das Astronautenausbildungszentrum, und wir sahen den Startplatz für die Weltraumflüge.

1988 hatte unser Oberbürgermeister, Prof. Dr. Gerhard Seiler, Einladungen an ehemalige jüdische Karlsruher Mitbürger verschicken lassen. Die Empfänger und deren Nachkommen waren inzwischen über die ganze Welt verstreut: in Europa, in Israel, in den USA, in Argentinien oder Australien. Anlaß war der 50. Jahrestag der »Kristallnacht«.

Dieser Einladung kamen viele ehemalige jüdische Karlsruher Mitbürger nach. Es kamen sogar soviel Zusagen, daß die Gäste, denen eine Begleitperson gestattet war, in zwei Gruppen eingeteilt werden mußten. Die Stadt, die früher schon kleinere Gruppen eingeladen hatte, wollte es diesmal den Gästen ermöglichen, alte Bekannte in Karlsruhe und aus der ganzen Welt zu treffen. Das ist auch in einigen Fällen gelungen.

Manche hatten die Pogromnacht von 1938 in Karlsruhe erlebt. Viele kamen nun zum ersten Mal wieder nach Karlsruhe, 50 Jahre danach. Und sie erlebten diesen Jahrestag in ihrer alten Heimat. Aber diesmal war es ein Gedenken an das Grauen der Vergangenheit. Vor 50 Jahren wurden sie gedemütigt, geschlagen, vertrieben. 50 Jahre danach wurden sie geehrt. Die damals Jungen waren nun alt.

Mit den ehemals vertrauten Straßen und Plätzen kamen die traurigen Erinnerungen. Aber sie waren auch froh und dankbar, eine neue, schöne, freie und demokratische Stadt zu finden.

Die erste größere Gruppe, die schon am 10. Oktober 1988 gekommen war, erlebte die Eröffnung der Ausstellung im Prinz-Max-Palais über die »Juden in Karlsruhe«. Das Stadtarchiv hatte zwei Bände veröffentlicht: »Juden in Karlsruhe« und »Hakenkreuz und Judenstern«. Jeder Besucher erhielt die beiden Bücher als Geschenk.

Am ersten Band, »Juden in Karlsruhe«, hatten 20 Autoren mitgearbeitet. Darunter auch Dr. Manfred Koch, Stadthistoriker, der zur Nachkriegsgeneration gehört. Er war es, der mich ermutigt und gedrängt hat, über meine Erlebnisse nach 1946 in Deutschland zu berichten. »Hakenkreuz und Judenstern« verfaßte Josef Werner, Journalist und Redakteur der Badischen Neuesten Nachrichten (BNN), der Karlsruher Lokalpresse. Jahre seines Lebens, seines Ruhestandes investierte er in diese Arbeit. Beide Werke werden wertvolle Beiträge für die Geschichte der Stadt bleiben.

Nie vergessen werde ich zwei Frauen, ehemalige Karlsruherinnen. Beide konnten in die USA emigrieren. Zwei Karlsruher Straßen tragen den Namen ihrer Familienangehörigen. Franz Lust, Chefarzt der Karlsruher Kinderklinik. Er nahm sich 1934 das Leben. Nach der Religion war er kein Jude mehr, die Familie war evangelisch, doch bei den Nazis zählte nur die Rasse. Lilly Lust kam nach dem Krieg mehrmals in die alte Heimat. 1989 entschloß sie sich, endgültig nach Karlsruhe zurückzukehren. Sie starb 1992 im Alter von 103 Jahren. Frau Lust war eine hochintelligente Frau und eine begabte Sopranistin. Eine ehemalige Kollegin von mir kümmerte sich in den letzten zwei Jahren ihres Lebens in Karlsruhe rührend um sie und erzählte immer, mit wieviel Haltung und auch Freude, zum Beispiel an der Natur, sie ihr Leben im hohen Alter meisterte. Auch der Autor Josef Werner war ihr ein guter Freund und Berater. Bis zuletzt beherrschte sie drei Sprachen, Deutsch, Englisch und Französisch, in denen sie sich mühelos verständigte. Daß ich ihr noch begegnen durfte, hat mir sehr viel gegeben.

Die zweite Karlsruher Straße wurde nach Ludwig Marum, in Karlsruhe bekannt als Politiker der Weimarer Republik, Minister und Reichstagsabgeordneter, benannt. Als Jude und SPD-Mitglied wurde er schon 1934 im KZ Kislau von den Nazis ermordet. Die Tochter, Elisabeth Marum-Lunau, kam ebenfalls nach dem Krieg besuchsweise nach Karlsruhe. Sie hat sich über viele Jahre für die An-

*Ansprache von Oberbürgermeister Prof. Dr. Gerhard Seiler anläß-
lich der Einladung ehemaliger jüdischer Karlsruher Mitbürger
1988 (Foto: Stadtarchiv Karlsruhe)*

näherung von Juden und Deutschen eingesetzt. Bei ihren zahllosen
Besuchen in Schulen und Diskussionen mit Jugendlichen berichtete
sie über das Schicksal ihres Vaters und ihre eigenen Erfahrungen
mit dem nationalsozialistischen Deutschland. Dafür wurde Elisabeth Marum-Lunau von der Stadt Karlsruhe mit einer Ehrenmedail-
le ausgezeichnet. Sie lebt weiterhin in New York.

Die Wende

Der Herbst 1989 war ein heißer Herbst. Im gesamten Ostblock bahnten sich gewaltige Veränderungen an. Hermetisch geschlossene Grenzen öffneten sich. Die Welt hielt den Atem an, und wir erlebten Weltgeschichte. Für die Deutschen in Ost und West begann eine neue Zeit: die Wiedervereinigung.

In der Nacht vom 9. auf den 10. November fällt die Mauer. Die deutsch-deutsche Grenze ist offen. Für Millionen ist die Freiheit grenzenlos!

Genau in der gleichen Nacht vor 51 Jahren brannten vom 9. auf den 10. November 1938 die Synagogen in ganz Deutschland. Nach der Zerstörung der Synagogen wurde die Vertreibung und Vernichtung der Juden verstärkt fortgesetzt.

Die Juden, die in der BRD und auch in anderen Ländern lebten, verfolgten diese Wiedervereinigung teilweise besorgt. Ein um ein Drittel größeres, wiedervereinigtes Deutschland konnte auch wieder zu einer Gefahr für Minderheiten werden. Es gab aber auch unter der deutschen Bevölkerung Menschen, die zwei souveräne deutsche Staaten vorgezogen hätten. Natürlich ging es dabei häufig um wirtschaftliche Interessen. Die friedliche Wiedervereinigung nach 44 Jahren berauschte die Menschen. Kampflos vereinigte sich Deutschland, fast ein Wunder in einer aggressionsgeladenen Zeit.

Nach dieser historischen Wende, die Deutschland und den gesamten Ostblock veränderte, bahnte sich auch in meinem kleinen ganz persönlichen Leben eine entscheidende Wende an. Ein Manuskript, das 1946 in Zürich vor der Rückkehr nach Deutschland entstanden ist, wurde 1990 vom Frankfurter dipa-Verlag veröffentlicht.

Das Buch berichtet über die Zeit in Deutschland von 1933–1942. Bisher war meine Vergangenheit in Karlsruhe kaum bekannt geworden. Die Familienmitglieder meines Mannes waren katholische Christen gewesen. Er hatte keiner Religionsgemeinschaft mehr angehört, und auch ich lief bei meiner Dienststelle unter »v.d.« (verschiedene).

Nach der Veröffentlichung meiner Erlebnisse in der NS-Zeit bekannte ich mich wieder zu meiner Herkunft. Das fiel mir nicht leicht. Ich hatte Angst davor, die Angst, die ich 1933 bis 1942 vielfach erlebt hatte, kehrte wieder, ohne daß dafür konkrete Gründe zu nennen gewesen wären. Auch noch 1990 in Karlsruhe. Der Autor Josef Werner kommentierte das Buch in einem einfühlsamen Artikel am 1./2. Dezember 1990 unter dem Titel »Wieviel Mut dazu gehörte...« Damit meinte er das häufige Übertreten von NS-Gesetzen für Juden, die die Todesstrafe zur Folge haben konnten.

Aber für mich gehörte jetzt auch wieder Mut dazu. Ich wurde angenehm überrascht. Menschen, die meine Vergangenheit nicht kannten, reagierten sehr positiv. Wenn ich auch religiös nicht gebunden bin, so bindet und verpflichtet mich die Schicksalsgemeinschaft. Ich will das, was wir damals erlebt haben, weitergeben. Millionen Tote schweigen und mahnen.

1992 wurden Interviews mit Karlsruher Zeitzeugen geführt, die in der NS-Zeit aus politischen und rassischen Gründen verfolgt wurden. Initiatorin dieser Dokumentation war die ehemalige Europa-Abgeordnete und heutige Karlsruher Bürgermeisterin Heinke Salisch. Unterstützt wurde die Veröffentlichung von der Fraktion der Sozialdemokraten im Europäischen Parlament.

Ilonka Dietz, meine Tochter, interviewte die Betroffenen. Leider konnten nur acht Interviews veröffentlicht werden. Sie hatte weit mehr noch in Karlsruhe lebende Zeitzeugen aufgesucht, aber die Schwierigkeiten zeigten sich schon bei der Kontaktaufnahme. Bei einigen war das Mißtrauen sehr groß, andere hatten Angst, über diese Gespräche in die Öffentlichkeit zu treten. Durch das Alter bedingt oder plötzlich erkrankt, wurden Termine wieder abgesagt, oder bereits geführte Interviews zurückgezogen.

Auch Lilly Lust, die bis zuletzt sehr interessiert war, wurde zweimal aufgesucht. Sie war 103 Jahre alt und zu sehr geschwächt, um ein längeres Gespräch zu führen.

Ilonka Dietz sprach zwei bekannte Karlsruher an. Ich war damals sehr gespannt, ob diese beiden prominenten Bürger einwilligen würden. Ich dachte, vielleicht geht es ihnen wie mir, und sie wollen der Öffentlichkeit nicht mitteilen, daß auch sie einmal zu einer verfolgten Minderheit gehört haben. Doch beide waren bereit zu einem Gespräch.

Günter Fischer, der Sohn einer verstorbenen Betroffenen und als Kind noch selbst betroffen, sprach über das Leben und die Leiden seiner Mutter. Günter Fischer war zur Zeit des Interviews Fraktionsgeschäftsführer der SPD und Stadtrat. Inzwischen wurde er zum Landtagsabgeordneten gewählt. Bei einer Gedenkfeier in Gurs vertrat er die Stadt Karlsruhe. Er gedachte auch seiner ermordeten jüdischen Verwandten und fand in Gurs das Grab seines Großvaters mütterlicherseits.

Daß Menschen, die voll im politischen Leben stehen, sich nicht scheuen, öffentlich über die Vergangenheit und die Verfolgung ihrer Vorfahren zu sprechen, bestärkt mich in der Hoffnung, daß in Deutschland bald kein Mut mehr dazu gehören muß, sich zu einer Minderheit zu bekennen.

Ein anderer sehr prominenter Karlsruher ist der Reiseunternehmer Hirsch. Auch er gab bereitwillig ein sehr umfangreiches Interview. Heinold Hirsch, Jahrgang 1922, wurde persönlich diskriminiert und noch im Frühjahr 1945 nach Theresienstadt deportiert. Sein Vater, ein bekannter Karlsruher Fußballspieler, der durch seine christliche Frau nicht mit dem großen Transport 1940 nach Gurs kam, wurde 1943 in den Osten verschleppt. Seitdem gilt er als verschollen. Heinold Hirsch mußte ab 1941 in Karlsruhe den gelben Stern tragen. Er und seine Schwester kannten ab diesem Zeitpunkt nur noch Verbote.

Der Kreis schließt sich

Seit der Veröffentlichung meines Buches »Den Nazis entronnen« sind fünf Jahre vergangen.

Meine Angst, mich zu meiner jüdischen Herkunft zu bekennen, habe ich inzwischen verloren. Man forderte mich zu vielen Lesungen und Diskussionen in und außerhalb von Karlsruhe auf; zum Beispiel zum Jahrestag der Pogromnacht, zum Jahrestag des Kriegsendes am 8. Mai, zu Veranstaltungen der Volkshochschulen, der Gewerkschaft, zu Lesungen bei kirchlichen Vereinen, zur Literaturwoche in Karlsruhe, bei Studenten und Senioren. Einmal diskutierte ich sogar mit dem Ensemble des Badischen Staatstheaters. Es war vor der Aufführung des Theaterstückes »Ab heute heißt du Sara« von Inge Deutschkron. Es ging darum, mit den nichtjüdischen Schauspielern über das Leben der Juden in Berlin vor und während des Krieges zu sprechen. Ich hatte dort als Jüdin gelebt.

Doch mein größtes Engagement gilt den Schulen. Meine erste Schule war Berghausen bei Karlsruhe. Die Lehrer, die mich angefordert hatten, ermutigten mich sehr. Ich bin dankbar, daß man mir die Möglichkeit gibt, als Zeitzeugin meist im Rahmen des Geschichtsunterrichtes den Schülern aus meinen beiden Büchern vorzulesen und mit ihnen zu diskutieren.

Ich habe die Erfahrung gemacht, daß die Jugend aufgeschlossen und interessiert ist. Es gelingt mir, sehr guten Kontakt zu den Schülern herzustellen. Manche, die noch ihre Großeltern über die Nazizeit hätten befragen können, hatten keine Antwort bekommen.

In vielen Klassen befinden sich auch ausländische Schüler. Sehr erstaunt bin ich, daß auch bei ihnen großes Interesse an der jüngeren deutschen Geschichte besteht. Besonders Türkinnen kommen immer wieder mit Fragen. Ich befürchtete stets Vorurteile der moslemischen Jugendlichen, auch in bezug auf Israel. Das passierte nur einmal mit einem libanesischen Schüler in Berlin. Ein anderes Mal traf ich auf einen rechtsradikalen Schüler, der sich aber korrekt benahm, jedoch war er nicht zu überzeugen. In einer Schule waren deutschstämmige Russinnen, die seit etwa fünf Jahren in Deutschland leben. Sie sprachen fließend deutsch, fühlten sich aber nicht wohl. Sie sagten: »In Rußland waren wir die Deutschen, und hier sind wir die Russen.«

Ich hoffe, durch meine Arbeit in Schulen ein wenig zu Toleranz und Verständigung zwischen den Menschen beitragen zu können.

1989 beschloß ich, die Fortsetzung meiner autobiographischen Aufzeichnungen, »Den Nazis entronnen«, zu schreiben. Es entstand das Buch »Freiheit in Grenzen«. Es behandelt die Zeit als Flüchtling in der Schweiz 1942 bis 1946, das Flüchtlingsproblem der Schweizer mit Menschen aus ganz Europa: Juden, politisch Verfolgten und Deserteuren. Es fand ebenfalls interessierte Leser. Dieses dritte Buch soll meine Aufzeichnungen beenden.

Es gibt jüdische Überlebende, die darunter leiden, daß gerade sie überlebt haben. Dazu gehöre ich nicht. Aber ich fühle mich der Schicksalsgemeinschaft verpflichtet. Und deshalb gehe ich insbesondere in Schulen, spreche und diskutiere mit der Jugend, die ja die Zukunft gestalten soll. Die Greuel des Naziregimes sollen und dürfen nicht vergessen werden. Ich möchte dazu beitragen, daß nie wieder ein Terror-Regime Macht erhält. Ich habe die Nazizeit überlebt. Mein Überleben gibt mir die Möglichkeit zu diesem Einsatz. Damit hat sich für mich der Kreis geschlossen.

50 Jahre sind seit meiner Rückkehr nach Deutschland vergangen. Es waren 50 Jahre Frieden, Frieden bei uns! Doch auch 50 Jahre Frieden sind keine Garantie.